地域活性マーケティング

岩永洋平
Iwanaga Yohei

ちくま新書

1479

地域活性マーケティング【目次】

はじめに

「このままでは町はなくなります。自分の会社が先頭を切って稼げば地域は潤う。事業でもっと儲けることが目標です」ある地方の繊維加工の事業者は、そう語っていました。

地域産品を販売する事業者のお手伝いは著者の仕事の一つです。訪問の始めには会社に何をやりたいのかを伺います。人口一〇万人規模の地方中都市で食品加工を手掛ける事業者は述べていました。「お客さんにうちの商品をたくさん買ってもらって町の雇用を増やしたい。地元をもう一度活気づけるのが私の夢です」。

山あいの小さな町から全国に商品を売る企業の地元の評判を聞こうと住民にインタビューしました。「おかげでこの町を覚えてくれる人が増えるのがうれしい。地名だけでも忘れないでいてほしい」。

東京への集中が進んでいくなか経営資源の限界もあって地方の企業、産業が成長するのは容易ではありません。しかし地方の存続のためには地方産業の発展が必要です。近年の情報通信技術の進歩などにともない、新しい事業機会も広がっています。地域からの商品が売れれば、地域を覚えてくれる消費者も増えます。

地域の産品のなりわいで地方の成り立ちを支えたい。そこで暮らす人のいとなみを広く記憶に留めて、それぞれ固有の地域名の価値を高めたい。「地域活性マーケティング」はそういった思いに応《こた》えんとするものです。


地域の活性化のためにはさまざまなアプローチがありますが、本書は地域産品のマーケティングが題材です。いかに商品を開発して販売するかという実践、またはそれについての研究がマーケティングです。ここでの検討は、ふるさと納税をはじめとする政府と自治体の政策や地方の事業者の実践を検証し、望ましい地域発展、地域支援のありかたをマーケティングの視点から考えることが目的です。また「地域活性マーケティング」ですから、地方が地域産品でいかに稼ぐか、実践に役立つ方針を示すのがもうひとつの狙いです。これらの目的を果たすために設定した、本書の四つの特徴を示します。

第一点目、「ふるさと納税」は地域活性のために定められ、地域産品振興の役割が期待されている制度なので、本書での検討が必要です。ふるさと納税利用者を対象とした意識調査で、制度の利用動機について書いてもらった記述の一部を紹介します。

「農産物をもらえるとテレビでやってました。特にお米にひかれた」

「地方の振興に役立つと信じています」

「お肉がタダでもらえる！」

「住民税分のサービスを自治体から受けているとは思えないから」

「生まれた県を応援しながら、懐かしい地元の産品がもらえる」

「一部でも自分自身が「行き先」のわかる納税をしたい」

「六歳の孫が肉が大好きなので、返礼品から選んで納税しました」


こういった記述に現れた利用者のそれぞれの意識について、第一章で量的・質的な分析を行い、いくつかの視点から制度を検証しました。結果、現行のふるさと納税について複数の大きな問題点が現れたのですが、この制度がまだ続くのならせめて善用したい。地方が都市の支持を得ながら活性化をはかる、都市が地方を支えるために、ふるさと納税制度のやり直しを考えなければなりません。第五章で自治体のふるさと納税の実践を評価し、返礼品を機として地域と消費者の結びつきを深める方法を検討します。

第二の特徴は「消費者調査」の活用です。地域活性関連の文献の多くでは地域のケーススタディ、成功例が紹介されており、それはずいぶんと示唆に富みます。本書も複数の事例を紹介していますが同時に、独自に実施した消費者調査のデータをマーケティングの技術で分析して利用しています。

省庁がまとめた事例集などでは、本当にこれが成功例と言えるか、あやしい例も見かけます。消費者調査のデータを使うのは、成功例の記述だけで終わらせず、消費者側からのエビデンス、証拠を捉えるべきだと考えるためです。

マーケティングを専らとするマーケターが施策を計画する際には、調査データを渇望します。いずれチャレンジの決断にはなりますが、貴重な資源をつぎ込むのですから、施策の方針の検討に証拠の支えは求められてしかるべきです。

第三の特徴、マーケティングの本では通常はあまり見かけない民主主義や正当性、自己決定権、共同性などの言葉を本書ではふんだんに用いて「規範的」な議論をします。産品のマーケティング活動は地域社会にポジティブ、またはネガティブな外部波及効果をもたらすので規範的な検証は必要です。

最近の経済ニュースではSDGs（持続可能な開発目標）や、CSV（共通価値の創造）という語を見かけます。一般のビジネスでも、その実践が正しいのか善いことか、結果として何をもたらすか、おためごかしではない、望ましい社会という視点による検証が求められています。まして地域産品のマーケティングには、私的な企業、事業者だけでなく、地方自治体や政府、ふるさと納税のような公的な存在が関わるため、いっそう規範的な評価から逃れられません。

また積極的には、地域事業者の社会的な意志、消費者側の倫理的な思いが事業に役立つとも考えられます。経済合理性の外にある思いは事業成長、産業発展の基盤になりうるか、どうやって思いを収益につなげるかを検討します。つまり社会的な活動にマーケティング技術を適用し、マーケティングの外的な波及効果から目をそらさず、社会的なニーズを対象とする本書は、社会志向の「ソーシャルマーケティング」の試みでもあります。

第四の特徴ですが「地域ブランド」について頁を割いて取りあげ、その役割を重視します。地域ブランドは地域産品一般の付加価値の源泉、儲けのもとです。地域ブランドの支援抜きで地域産品を売ろうとすると、大メーカーのナショナルブランドや大手流通のバイヤーに対して、分があるとは言い難い勝負を正面から挑むことになります。

そういう問題意識は地域で共有されており、自治体の人たちは地域ブランド形成に取り組んでいますが、あまりうまくいっているようには思えません。専門家は、地域ブランドは「出発点において、矛盾を内在させている」とさえ言います。

ブランドの価値は、消費者の知覚と「思い込み」のなかにあるとマーケティングの権威であるコトラーは述べました。またノーベル賞経済学者のスティグリッツは、経済学の基本モデルである完全競争市場の原則に従えば、ブランドは「存在してはならない」と指摘します。ブランドはまるで蜃気楼、まぼろしのようです。

われわれが地域産品を振興するためには、市場の基本原理に依らず、頼りない地域ブランドを拠り所に、商品価値が高いと消費者に思い込んでもらわねばなりません。市場環境のなかでそれが可能かを検証し、地域ブランドの価値をいかにして高めるか、方針を提示します。

筆者は、マーケティングの実務と研究にたずさわっており各章でリレーションシップ・マーケティング、消費者行動論などのマーケティング研究を適用しています。同時に社会学、政治学、倫理学、社会的交換論、消費社会論などの研究も参照します。

地域に関するマーケティングの検討は、地域に関わる諸分野の研究蓄積を適用せざるをえません。もとよりマーケティングは専門分野の横断性、雑食性が身上です。慎重かつ向こう見ずをもって、社会人文科学の各領域に踏み込んでいきます。まずは、ふるさと納税制度の検証から始めます。

第一章

ふるさと納税にふるさとへの思いはあるか

†ふるさと納税とは

地域の活性化につながる、地域産品のマーケティングのチャンスになる、地方の大きな期待が寄せられているのが「ふるさと納税」です。二〇〇八年に制定されたふるさと納税は、二〇一五年のワンストップ特例制度の導入を機にいっそう拡大して無視できない存在になりました。しかし本当に地方のためになる制度なのか、疑問も寄せられています。

この制度については盛んな議論があり、とりわけ「返礼品」への批判がなされています。返礼品によって実質的には税金を使った買い物の場になっている、地域と関係ない商品券や電子機器などが返礼品にされているなど。政府・総務省からも、各自治体に対し二〇一八年までに数次にわたって、返礼品の抑制を求める通知がなされています。二〇一九年に政府は、通知に従わない泉佐野市など四市町に対して、配分する地方交付税を減額する措置を取りました。

ただ、この特異な制度については、返礼品以外にも検討すべき課題があるはずです。制度・政策の評価においては一般に複数の視点が設定できます。まずもって当初に設定されたふるさと納税制度の意義に照らして、政策目的が達せられているかどうかの検証が必要です。そもそも設定された政策の目的自体が妥当かどうか、制度がもたらす意図されていない帰結のリスクについても評価がなされなければなりません。

ここではふるさと納税制度の基本的な仕組みと目的を確認したのちに、政策目的の達成、政策目的の妥当性、政策の帰結の三つの視点で順に検討、評価していきます。特にこの制度の目的として重要な「ふるさと意識」に関しては利用者の調査を実施、マーケティングの技術を適用して分析しました。これらを踏まえて地域活性に貢献するために、地方を支えたい利用者の気持ちに適うように、ふるさと納税制度をどう改定すべきかの提案を示します。

†ふるさと納税制度の仕組み

図1-1　ふるさと納税の基本構造

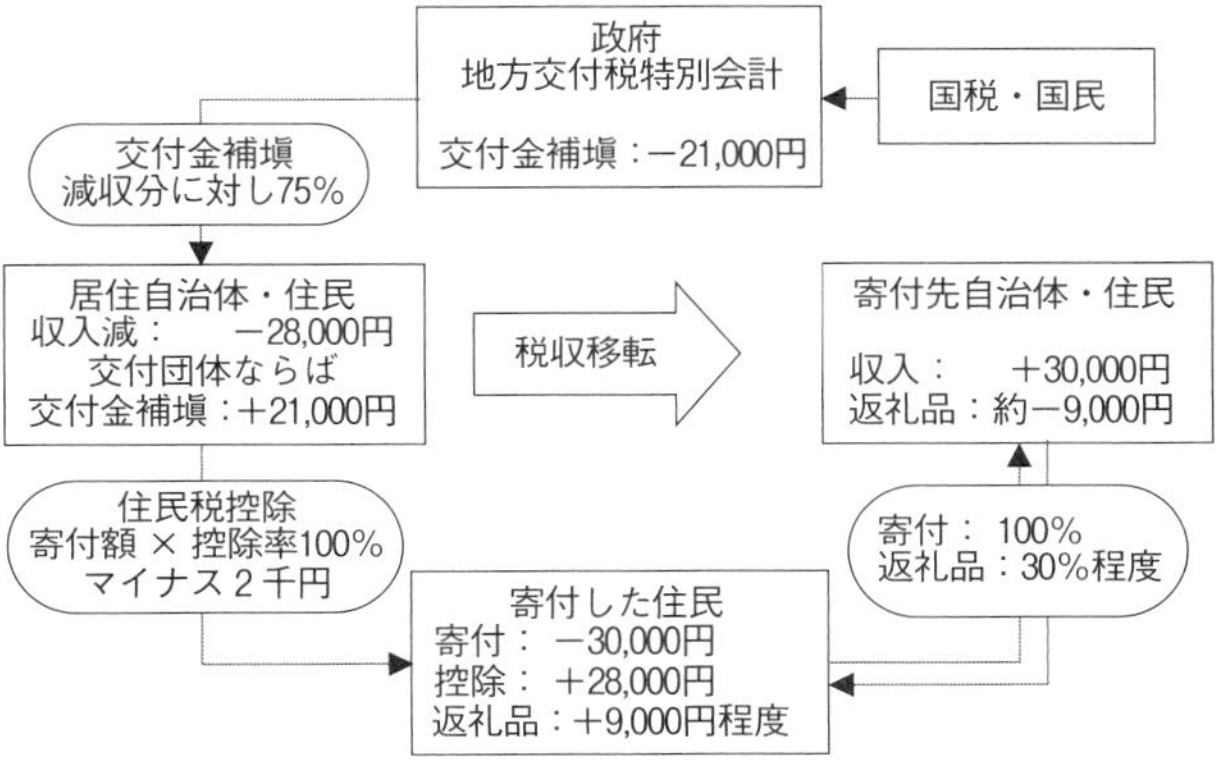

３万円の寄付でワンストップ特例制度を利用した場合

ふるさと納税を利用して自治体に寄付すると、ほぼ同じ額が税金の控除として戻ってきます。その上に寄付した自治体から、指定した返礼品が届けられます。寄付しても損をしないだけでなく、返礼品の分だけ得をする。これはふるさと納税を利用したことがある方なら、ご存じのことでしょう。ただ、その間のお金の行き来がどうなっているかは一言では説明できません。ここで、ふるさと納税の基本的な仕組みを整理しておきます（図1-1）。

現在、主流となっているワンストップ特例制度を利用した場合、住民の寄付に対する控除は、住んでいる自治体の住民税からなされます。利用者には寄付額の全額、一〇〇%分が翌年の住民税から控除されます。正確には全額から手数料的な位置づけの二〇〇〇円が引かれて戻ります。三万円を寄付したなら、二万八〇〇〇円が還《かえ》ってくる。

寄付した住民に対して、寄付先自治体から寄付額に対して三〇％程度までの価格の返礼品が届けられます。ふるさと納税制度の利用者にとっての特異な性質は、寄付に対する一〇〇％の控除にプラスされる返礼品による利得の提供にあります。

返礼品による還元の率は、これは自治体間の寄付の獲得競争の環境下ですから、ほっておくと事務費用などの経費を差し引いて収益がプラスになる限界まで上がっていく圧力がかかります。三〇％というのは総務省の二〇一七年の通知で上限の目安が示されたものですが、二〇一六年時点では平均四〇％でした。

自治体住民の立場で見ると、寄付先の自治体は寄付によって増収になります。そのぶん居住自治体は税収入が減る。居住先自治体から寄付先自治体へ、税収移転が起こることになります。もともと予算の足りない自治体が減収になると困るので救済策があります。政府から自治体に、減収となった分の七五％が補塡されます。補塡の原資は政府が国民から集めた国税で、自治体向け予算の地方交付税特別会計から配分されます。

この救済策は地方交付税交付金をもらっている自治体だけが対象で、東京都など富裕な自治体、地方交付税不交付団体には補塡がなく、住民のふるさと納税寄付分は一〇〇％の減収です。東京都全体の二〇一八年度分のふるさと納税による控除額、住民税の減収は六四五億円、うち世田谷区は四一億円の減収でした。世田谷区の減収は二〇一八年予算の区民税収入額一二〇九億円の三・四%にあたる、小さいとは言えない額です。

1　設計者によるふるさと納税の三つの意義

制度、政策には目的があります。また定められた政策の目的の背景には、現状への問題意識や特定の政治的な立場があります。これは法律の条文だけを眺めていても、必ずしも把握できるものではありません。では、ふるさと納税はどんな目的をもって、どのような認識・思想のもとに制定された制度なのでしょうか。

二〇〇八年四月の制度施行の前年に総務庁が設置した「ふるさと納税研究会」が「ふるさと納税研究会報告書」（以下、報告書）をまとめています。研究会はこの制度のおもな設計者であり、同報告書には制度設計の意図、政策の目的が現れていると捉えられます。

報告書はふるさと納税制度の三つの意義を挙げていますが、これについて、それぞれの意義の背景となる認識、考え方を踏まえながら、やや敷衍《ふえん》して把握します。

†「納税者による選択」における意義

報告書は国民の義務としての納税、強制的な徴税という税の本来的な特性を示したうえで、「納税者が自分の意思で、納税対象を選択できる」点がふるさと納税制度の「画期的」な特徴であると述べています。ふるさと納税制度は、どこに寄付するかの寄付先、何に使うかの使途の選択の機会を利用者に与えて、「税というものの意味と意義」を思い至らしめる。これにより、納税の大切さを自覚する機会になると報告書は主張します。

憲法の三〇条に「国民は、法律の定めるところにより、納税の義務を負ふ」と記されているとおり、納税は国民がいやおうなく強制されている義務です。税は政府、地方政府が執り行う行政の原資ですが、納付先も使いみちも議会によって決められ、納税者は直接には関われません。これはわが国に限らず、現代の国家が基本的に共有する原則です。

ふるさと納税は、こういった税制度に風穴を開ける、参加民主主義的な契機を導入する目的があるとも考えられます。参加民主主義とは、単に議会の多数決に社会の決定をゆだねるのではなく、政策の決定過程にできるだけ市民が関わるほうが良いという立場です。法哲学者の伊藤恭彦《やすひこ》氏は、寄付の限界を指摘しながらも「政府の独占物だった税の使途の判断を社会が取り戻す」ものとして、ふるさと納税制度を積極的に評価しました。

参加民主主義のなかにもさまざまな考え方があり、多数決による決定以前に、個々の利害による主張を超えた熟議による合意の形成が重要であるとする立場や、政治への参加こそが人間の本質的なあり方であるという立場などがあります。これら主張の背景には、多数決だけでは社会的な決定への市民参加の形骸化をもたらす、多数の利害による専制と少数派の抑圧につながりかねないという民主主義の制度への根本的な問題意識があります。

ふるさと納税は、現行の民主主義の制度に変更を加える、少なくとも民主主義のありようを問うものです。通常は納税者が直接には関われない税について、ふるさと納税ならば納税者が使途、納付先をみずからの主体的な意思をもって決めることができる。税についての自己決定権を得た市民が、議会・政府の決定にすべてをゆだねるのではなく社会の形成に主体的に参加する。ふるさと納税に託された「納税者による選択」の意義は、そういう意図があると考えられます。納税者の主体的意思についてはもっと考えるべき点がありそうです。後の節でまた検討することにします。

†「自治意識の進化」の意義

報告書では「自治意識の進化」が制度の意義として挙げられています。ふるさと納税によって得られる「進化」とは何でしょうか。ふるさと納税制度は利用者に納税先の自由な選択権を与えるものです。これにより、地方自治体間に寄付金の獲得をめぐる競争が起こります。より多い寄付金収入を得るために各自治体が、政策の提案とその成果を競い合うことになります。政策が工夫され、自治体からの情報提供も活発になる。これらが自治のあり方を捉えなおす機会ともなり、全体として自治体にもたらされる変化が「進化」とされています。

企業の経営は、企業間の競争環境が前提です。自由な競争市場においては収益の獲得をめぐって多数のプレイヤーが争って勝ち負けが決していきます。企業が提供する商品・サービス、その生産方式や販路、また企業を経営する組織自体もこの環境の中で変化していきます。市場の競争環境で起きるポジティブな変化は、イノベーションとも呼ばれます。

地方自治体はもとより営利組織ではなく、収益の獲得とは異なる目的を持ちます。住民の福祉の向上が自治体の基本的な役割であり、必ずしも自治体間の競争の契機を持ちません。そこになぜ競争を持ち込む必要があったのか。

競争が必要とされた背景には、日本全体の人口の減少や財政の制約のなかで、自治体運営の効率化が求められているという要因があるでしょう。自治体の制度にも議員・首長の座をめぐって政策を提示して投票の獲得を競う、選挙という競争がありますが、それは行政の効率化の動因として十分に機能していない。そこで企業が置かれている競争市場と同様に、寄付収入の拡大を目指して自治体間が競争する環境を積極的に導入することで行政組織、行政サービスにイノベーションを起こそうとしていると理解できます。

ふるさと納税を研究する経営学の保田《ほうだ》隆明氏は、制度により自治体において寄付を呼び込むマーケティング活動が実践され、地域資源の付加価値を高めるイノベーションが起きていると指摘します。保田氏はふるさと納税制度を「自治体は運営するものだという従来の概念を、経営するものだという意識に変換した」と評価します。

†「ふるさと意識」に関する意義

ふるさと納税には、住民にふるさとを応援する機会を提供し、ふるさとへの思いをいっそう高めるという目的があります。この制度は「ふるさと」を利用者の出生地に限定していません。これは出生地・生育地の特定の技術的な困難を避けるための設計であり、積極的にはどの地域をふるさとと考えるかの判断を利用者に任せるものでもあります。

報告書は「自分が応援する地域に貢献したい」気持ちを実現する機会を提供できるという制度の意義を挙げています。自分が「ふるさと」と思う地域を自由に選んで、その地域を寄付によって応援できるようにする。また利用者は寄付を通じて「「ふるさと」の恩に感謝する」気持ちを新たにし「本来の人間性への回帰の貴重な契機」となると述べます。

ここでは制度の、ふるさとへの貢献の意思を表現する機会を与える役割、またふるさとへの思いを喚起するという働きの、二つの側面が挙げられています。

報告書の結語でも重ねて「納税者の「ふるさと」に対する真摯な思いを制度的に表現することが可能となり、そのことが「ふるさと」に対する思いの高まり」に導くと強調されており、この点を設計者がふるさと納税の重要な意義としていると捉えられます。本書ではふるさとへの思いを「ふるさと意識」と呼ぶこととします。報告書は、ふるさと意識の発現機会の提供と、ふるさと意識の喚起を政策の目標として示しているといえます。

さて、ここまでに見てきたふるさと納税研究会の報告書で示されているふるさと納税の意義、政策目的はつぎの三つです。

・税の意味と意義の涵養、納税の大切さの自覚
・自治体間競争による経営意識の醸成
・ふるさと意識の発現機会の提供と喚起

ただ、ふるさと納税制度には、この三つにとどまらない政策的な目的、または役割がありそうです。次節から検討しましょう。

2 地域間再配分と産業振興

報告書にある三つの意義のほかに想定される、二つの重要な制度の役割を検討します。第一はふるさと納税制度成立の背景にあった、地域間の「再配分・税収移転」の役割、第二は返礼品による「地域産品・産業の振興」の機能です。

†都市から地方への還流

報告書は冒頭で制度の三つの意義を示したのちに「なお、」と付言して「地方団体間の税収格差の是正に資するとの期待もある」と述べます。政策の設計者と目されるふるさと納税研究会は、この制度には地域間の税収移転の機能が当然あり、それが期待されていると認めています。報告書の文中には、制度は「本来『ふるさと』への税の移転を意図している」との記述も見られます。

政府与党である自民党の税制調査会がまとめた「平成二〇年度税制改正大綱」にも、ふるさと納税制度への言及がありました。大綱はふるさと納税研究会の報告書と並んで、制度設計者の意図が示されているといえます。平成二〇年度大綱は「地域間の財政力格差問題に正面から取り組む」ことを全体のテーマとしており、そのなかでふるさと納税の制定が提起されています。ここから与党も、ふるさと納税制度による自治体間の税収移転を目論んでいると捉えられます。

また制度の制定は、研究会委員でもあった元福井県知事の西川一誠《かずみ》氏の提唱が発端のひとつになっています。地方が教育・福祉の費用を負担して育てた地域の人材は就職・進学を機に転出して、都会で納税者となると西川氏は指摘します。地方の側は人材育成に税を費やし、その人材から得られる税は都市側の収入になる。この点から都市から地方への還流、すなわち税収移転の仕組みとして「ライフサイクル・バランス税制」が必要だと主張しています。これらの点から、地域間の再配分・税収移転は、ふるさと納税のもうひとつの政策目的であるとみなせます。

†地方交付税交付金とふるさと納税

既存の日本の財政制度では地域間の税収移転は、地方交付税交付金制度がおもに担います。税収のもととなる税源、住民・企業の収入と財産は、特定の地域に偏在しており、これを反映して自治体の税収の不均衡が起こります。これは人口規模だけの問題ではありません。多くの大企業があり富裕な住民が多い東京は豊かな収入があり、沖縄・長崎・秋田などは税源が乏しく税収が少ない（図1-2）。

一人あたりでみて都道府県別の地方税（二〇一六年）の税収が最も多い東京を一〇〇とすると、沖縄の税収は四一であり、倍以上の違いがあります。これでは税源の少ない地域では、行政の必要に対して収入が不足してしまいます。

そこで不足分は国税を原資とする地方交付税交付金が補塡します。不足をどう計算して配分するか。地域によって自然的・社会的な条件が異なりますから、各自治体の行政に必要な額は単純に人口に比例しません。

不足額・必要額を自治体に公平に算定するために、面積・林野面積・公園面積・道路延長・河川延長・児童数・農家数などを測定単位とした「基準財政需要額」が設定されています。これが共通の基準で各自治体に適用され、算定された基準に対して収入が不足する額が、交付金として各自治体に分配されます。

地方交付税交付金制度などの地方財政制度で起きているのは、税源が豊富で収入の多い都市から収入の少ない地方への再配分です。ふるさと納税は地方交付税制度に加えて、税収移転の仕組みを付与しています。なぜ既存の仕組みに追加して、地方への再配分の制度が定められたのか。

図１−２　人口１人あたり地方税収入（2016年度・千円）

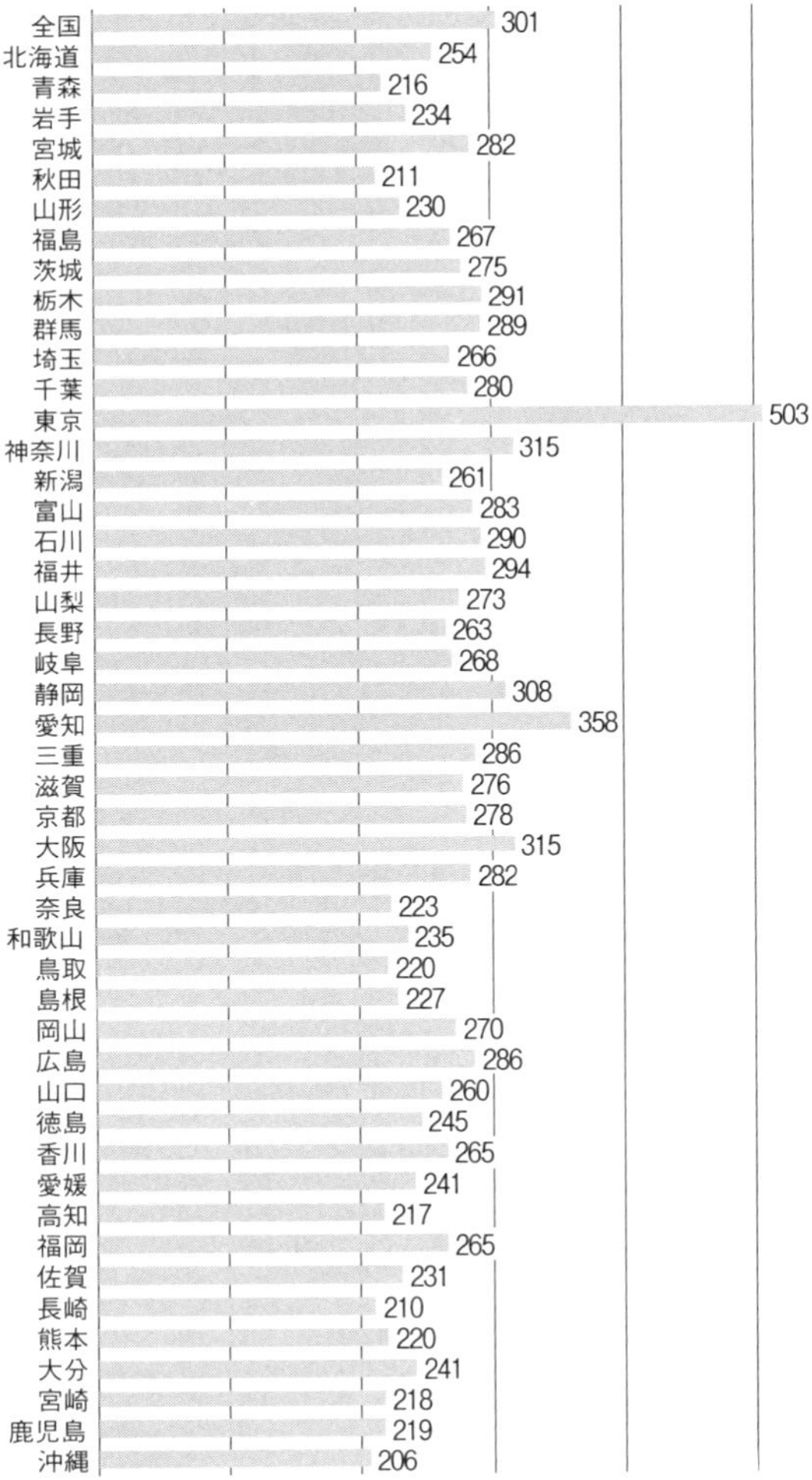
全国 301
北海道 254
青森 216
岩手 234
宮城 282
秋田 211
山形 230
福島 267
茨城 275
栃木 291
群馬 289
埼玉 266
千葉 280
東京 503
神奈川 315
新潟 261
富山 283
石川 290
福井 294
山梨 273
長野 263
岐阜 268
静岡 308
愛知 358
三重 286
滋賀 276
京都 278
大阪 315
兵庫 282
奈良 223
和歌山 235
鳥取 220
島根 227
岡山 270
広島 286
山口 260
徳島 245
香川 265
愛媛 241
高知 217
福岡 265
佐賀 231
長崎 210
熊本 220
大分 241
宮崎 218
鹿児島 219
沖縄 206

報告書では豊かな都市への、税源に乏しい地方による貢献が指摘されています。「ふるさと」、地方は、人材を供給する、食糧を生産する、自然環境を維持するなどの役割を果たしており、それによって「都会の繁栄」が成立していると述べられます。福井県・西川元知事の唱えた「ライフサイクル・バランス税制」も、地方の都市への貢献があり、それが十分に報われていないという問題意識によるものです。

たしかに都市の出生率は低く、東京都の合計特殊出生率は全国最下位の一・二四（二〇一六年）であり、都市の高い生産性の基盤になる人口集積は地方からの流入に支えられています。ふるさと納税制度が議論された二〇〇七年は「地域格差」が問題となったころでもあり、地方の貢献にもっと分配すべきだという議論はそれなりの説得力をもって支持されていました。政治的には小泉政権が進めた三位一体改革に不満の残る地方自治体に対して配慮したい事情などがあったものと想定されます。これらを背景に、地域間の税収移転を拡張するふるさと納税が実現しています。

†返礼品の産業振興効果

ふるさと納税では、寄付へのインセンティブとして「返礼品」が届けられています。施行後はこの返礼品が利用者の関心の焦点となり、また制度への賛否の論議の的となります。

寄付金の獲得のために自治体間が競争すると、まずは寄付に対する返礼品の還元率を競うことになります。寄付額に対する返礼品調達額の比である還元率は、二〇一七年で平均四〇％程度でした。地域と関係のない金券や家電製品の提供も行われました。

こういった状況に対し総務省は二〇一七年に還元率の三〇％への抑制、返礼品を地元産品に限るべきなどの基準を自治体に通知します。翌二〇一八年には前年通知の順守を通知、基準を守らない自治体名を公表するなど、抑制が必要なまでに自治体の返礼品をめぐる競争は激化します。二〇一九年からは制度が改定されて、返礼品の還元率上限の三〇％、地元産品への限定の基準が法制化されました。設計者がふるさと納税制度の意義とした自治体間の競争は返礼品による寄付金獲得競争、マーケティングの展開に顕著に表れました。

制定時は寄付の見返りに自治体が送付する返礼品については制度上の規定がありませんでした。ふるさと納税研究会報告書においても返礼品の記述はなく、制定の当初は制度の積極的な意義と関わるものとは考えられていなかったようです。ただ、二〇一七年の総務省通知には返礼品の地元産品への限定の内容があることから、地域の産品を返礼品とすることについて意義が認められていると捉えられます。

返礼品の多くは、地元の事業者から自治体に買い上げられ、利用者に提供されます。ふるさと納税返礼品は、長崎県平戸市長の黒田成彦《なるひこ》氏からの報告にもあるように、地域産品の需要提案の機会となっています。平戸市ではふるさと納税への取組のなかで、海産物など産品の生産量の少なさをカバーするために商品開発やブランドによる高付加価値化、産品を組み合わせたアソートセットの提供などの工夫がなされました。前述の保田氏は、制度が地域事業者のマーケティングの訓練の機会を提供して「地域の商売力を高める」役割があると述べています。平戸では、ふるさと納税を機に地域産業のイノベーション、地域の事業者の「商売力」の向上が実現しています。

一方でまちづくりの実践でも活躍する社会起業家の木下斉《ひとし》氏は、地域事業者の返礼品への依存、自治体依存のリスクに注意を促し、地域産品の市場導入は、ふるさと納税制度ではなく市場取引を通じてなされなければならないと主張します。たしかに地域産業の振興をはかる視点からも地域事業者はいずれ返礼品買上げの公的支援から離れ、自力で市場展開しなければなりません。地域産品が返礼品頼りなら、消費者に積極的に選ばれる商品には育たない。その意味で木下氏の批判はもっともです。

しかし、もともと地方の事業者は全国的に商品を展開するナショナルブランドに対して経営資源が豊富ではありません。資本、人材、マーケティング力、ブランド、いずれも大企業に対して劣っています。そういった事業者に対して、市場導入に向けた初期段階の育成施策を提供するのは、地方政府の産業政策として必ずしも不適当だとはいえないでしょう。木下氏と同様の問題意識を持ちながら保田氏は、「ふるさと納税を恒久化しないことが制度上重要である」との留意を付けたうえで制度を評価しています。

ふるさと納税制度は、返礼品を供給する地域事業者に、利用者・消費者の選択および商品評価にさらされる環境を与えます。どうすれば自社の商品が選ばれるか、パッケージ、ネーミング、商品の説明方法、お客さまからの問い合わせや欠品に対する対応、商売の基本をそこで学べます。返礼品の取組を通じて事業者は、本格的な市場展開への準備を進めていける。ふるさと納税制度は、返礼品の実践による地域産業の初期の揺籃機能、インキュベーション施策としての意義があります。

3　利用者調査による制度検証

商品・サービスの購買動機を意識調査で探り、また商品評価を得てブラッシュアップをはかるのはマーケティングの基本です。制度・政策の目的が実現されているかどうかの検証は、政策評価の基本視点でもあります。制度設計者の意図が示されたふるさと納税報告書では、ふるさと意識の発現機会の提供と喚起が重要な政策目的と設定されています。この目的は利用者の意識に関わるため、政策の検証には利用者の意識調査が必要です。

図1-3　基本分析フレーム

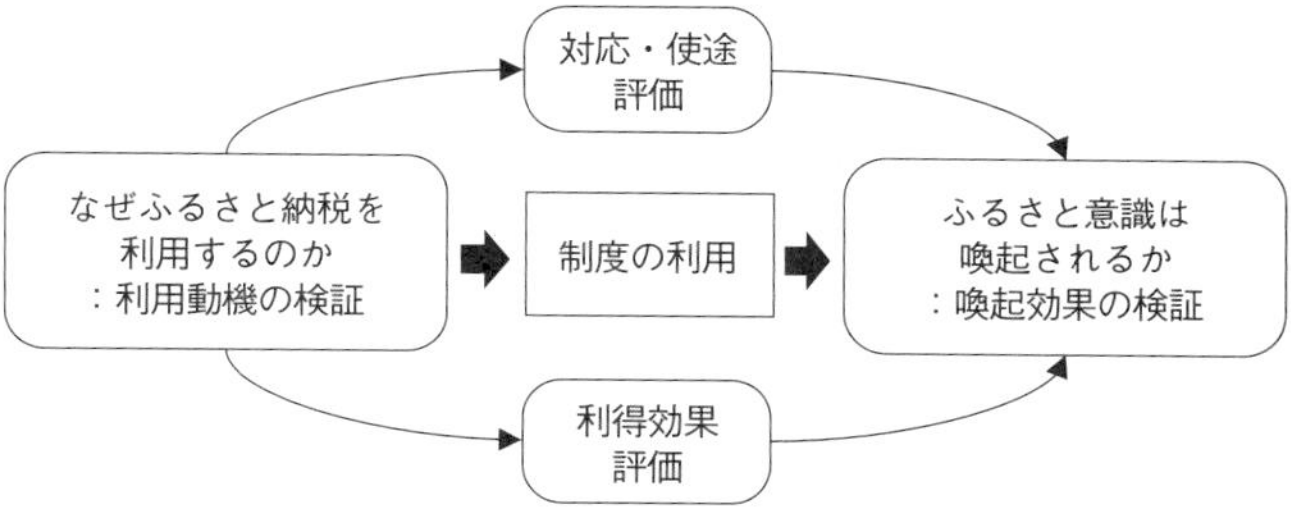

†利用動機と意識の変化

既存の利用者の意識調査は、ふるさと納税サイトによるものなどがあります。ただ、利用動機や意識変化を把握して検証するうえでは、発表されている既存の調査データは必ずしも十分ではありません。そこで独自に調査を実施しました。

ふるさと納税制度では返礼品のインセンティブがあるため、当該制度の利用者に利得の動機が多少なりともかかわるのは前提です。ただ、仮に制度を利用する動機のすべてが税の減免と返礼品の利得ねらいなのであれば、ふるさとへの思いを表現する機会を提供するという制度の意義は実現しません。また制度を通じて利得動機の利用者に、ふるさと意識がおよそ喚起されないのであれば、政策目的は達せられてないことになります。

利用動機の分析では、実際にふるさと貢献への意思が利用者にどの程度あるかによって政策目的の成否が評価できます。また結果においては、制度利用によるふるさと意識の変化によって検証されます。利用の結果としての意識変化は、制度自体への評価が関わりますから、これも調査設計に加えます。調査・分析の構成は図1-3のようになります。

調査項目を表1-1に示します。想定される制度の利用動機についての一二項目を質問して、評定法で回答を得ています。評定法は、各項目について自分に当てはまる程度など、段階に分かれた選択肢を選んでもらって集計する調査手法です。今回は「とても当てはまる」から「まったく当てはまらない」までの六段階としました。

項目（分析での表記）
ふるさと応援のため
生育地支援のため
共感する使途のため
地方の応援のため
返礼品がなくとも
控除がなくとも
寄付先地域応援のため
節税のため
使途は気にしない
返礼品が目的で
返礼品還元率を基準に
希少な返礼品があるため
心遣いに満足
寄付先からの感謝に満足
期待以上の贈り物
地域・産品の情報に満足
寄付金使途の情報に満足
寄付金の使途に満足
誠実に対応してくれそう
返礼品に満足
節税効果に満足
良い制度だと思う
寄付先を身近に感じる
使途にもっと支援したい
寄付先にお返しをしたい
寄付先にいつか住みたい
寄付先をもっと支援したい
寄付先地域の課題理解
寄付先をもっと知りたい

表１－１　動機・評価・ふるさと意識喚起効果の調査項目

区分		調査項目
動機	利他動機	ふるさとであると思う地域を応援するためにふるさと納税をして
		自分の育った地域を応援するためにふるさと納税をしている
		共感する寄付金の使いみちを応援するためにふるさと納税をして
		地方を応援するためにふるさと納税をしている
		返礼品が貰えなくなっても、ふるさと納税をする
		税の控除がなくなり寄付金分が戻ってこなくとも、ふるさと納税
		寄付先の地域を応援するためにふるさと納税をしている
	利得動機	節税が目的でふるさと納税をしている
		ふるさと納税の寄付金の使いみちは気にしていない
		返礼品が目的でふるさと納税をしている
		できるだけお得な返礼品を基準に寄付先を選んでいる
		他にないめずらしい商品があるのでふるさと納税をしている
評価	対応使途評価	寄付先からの連絡などでの心づかいに満足できた
		寄付先の地域の、寄付に対する感謝の気持ちに満足できた
		寄付先の地域から、期待以上の贈り物をもらったと感じた
		寄付先の地域や産品に関する情報提供に満足できた
		寄付金の使いみちに関する情報提供に納得できた
		寄付先の自治体への寄付金の使いみちに満足した
		寄付先は問合わせなどにも誠実に対応してしてくれると思う
	利得評価	寄付先からの返礼品に満足した
		ふるさと納税の節税効果に満足した
		ふるさと納税は良い制度だと思う
ふるさと意識喚起		寄付をした地域やそこに住む人たちを身近に感じるようになった
		寄付金の使いみちについて、もっと支援をしたい
		寄付先の地域に対して、何らかのお返しをしたい
		寄付先の地域にいつか住みたい
		寄付先の地域がもっと良くなるよう支援したい
		寄付先の地域が抱えている問題点などがわかった
		寄付先の地域についてもっと知りたい

†利得動機が主導するが、地域貢献もある

利用動機の一二項目は「ふるさとであると思う地域を応援するためにふるさと納税をしている」などの利他的な動機の七つ、「節税が目的でふるさと納税をしている」など利得動機の五つを測定します。さらに選択式の回答ではすくい取りきれない気持ちを把握するために、動機について自由に書いてもらう、自由記述の質問も設定します。

利用者による制度評価は、「寄付先の自治体への寄付金の使いみちに満足した」など自治体の対応・使途に対する評価、「ふるさと納税の節税効果に満足した」など、返礼品と控除の利得効果についての評価の二分類で計一〇項目を設定しました。

ふるさと意識の喚起効果は「寄付先の地域がもっと良くなるよう支援したい」「寄付先の地域についてもっと知りたい」など七つの項目で取得します。調査の対象は、一都三県在住者の事前調査で抽出された二〇 - 六〇代男女の制度利用者七七八名です。

ふるさと納税の利用動機の、まずは全体の集計です（表1-2）。反応が高い上位の項目は「返礼品が目的で」「節税のため」「返礼品還元率を基準に」で、これら三項目への反応が五割を超えています。ふるさと納税制度の利用は、利得を求める動機が主導するといえま

す。

　一方で「地方の応援のため」「寄付先地域応援のため」また「共感する使途のため」などの動機も高い反応率が得られています。利用者全体の気持ちには、利得を求める動機と、ふるさと・地方に貢献したいという利他的な思いとが混在している、そうとも捉えられます。ただし両方あるというだけでは、起きている事態の理解として不十分でしょう。

　利用者を個々にみていけば動機の構成は異なるはず。利得と利他の動機が混在しているタイプ以外に、経済合理性だけで行動する人たち、逆に地方の応援だけを願って制度を利用しているタイプがいるかもしれません。ふるさと納税の利用動機をきちんと把握するためには、利用者を動機のタイプで区分する分析が必要です。

表1－2　ふるさと納税の利用動機

項目	とても＋ややの計（%）
返礼品が目的で	67.6
節税のため	59.6
返礼品還元率を基準に	57.5
地方の応援のため	39.6
寄付先地域応援のため	36.5
稀少な返礼品があるため	29.3
共感する使途のため	26.3
使途は気にしない	26.1
ふるさと応援のため	18.3
生育地支援のため	12.9
返礼品がなくとも	10.4
控除がなくとも	7.6

表1－3 利用動機の因子分析（パターン行列・Promax 回転後）

変数	故郷支援因子	倫理志向因子	利得因子
生育地支援のため	0.93	−0.17	0.08
ふるさと応援のため	0.86	0.04	0.06
控除がなくとも	0.44	0.05	−0.37
地方の応援のため	0.14	0.80	0.11
寄付先地域応援のため	0.17	0.77	0.03
共感する使途のため	0.11	0.66	−0.04
使途は気にしない（－）	0.25	−0.51	0.08
返礼品が目的で	−0.06	−0.09	0.80
返礼品還元率を基準に	−0.03	−0.10	0.73
稀少な返礼品があるため	0.30	0.11	0.56
節税のため	−0.04	0.01	0.42
返礼品がなくとも（－）	0.33	0.13	−0.52

・因子間相関

故郷支援因子	1.00		
倫理志向因子	0.68	1.00	
利得因子	−0.47	−0.49	1.00

動機の背景にある志向

利用者をタイプ区分する前に動機の因子分析を行います。因子分析とは測定された多数の項目を、少数の潜在的な因子に要約する統計処理です。ここでは動機の調査で取得した一二項目のデータに因子分析を適用し、動機の全体像を概観することとします(1)。

因子分析の結果、説明力の大きい三つの因子が得られました（表1-3）。

「生育地支援のため」「ふるさと応援のため」などに特徴づけられる因子は「故郷支援因子」と名付けます。「地方の応援のため」「寄付先地域応援のため」「共感する使途のため」などの因子は「倫理志向因子」、「返礼品が目的で」などの因子は「利得因子」と名付けました。

故郷支援因子と倫理志向因子は相関係数が〇・六八と、やや高い正の相関を示しています。ふるさと納税の利用動機において、同じ人がこの二つの因子をあわせ持つ傾向が強いと捉えられます。利得因子は他の二つとマイナスの相関係数を示していますから、利得因子と他の二つの潜在因子とは相反する志向性です。

†利得目的が約六割

マーケティングリサーチで対象者を複数のタイプに区分する際に、クラスター分析という統計処理が利用されます。クラスター分析では、全体の回答者の中から回答パターンが似ている人を集めてタイプ区分します。今回の場合は、ふるさと納税の利用者を、動機の各項目の回答で似たような答え方をしたタイプに分類します。

分析の結果、利用者の四つのタイプを抽出しました（表1-4）。故郷支援因子と倫理志向因子がともに高いタイプが二つ現れています。利得因子が著しく低く、損得抜きで制度を

表1-4 利用動機によるクラスター分析（k-means法・平均値）

クラスター区分	構成比	故郷支援因子	倫理志向因子	利得因子
倫理志向層	11.4%	1.15	1.21	−1.90
地方応援層	30.7%	0.74	0.60	−0.26
利得フォロー層	33.8%	−0.30	−0.02	0.42
利得志向層	24.0%	−1.07	−1.32	0.64

利用している全体の一一・四%を占めるタイプを「倫理志向層」と呼ぶこととします。もうひとつは利得因子が倫理志向層ほどは低くはないのですが、やはり故郷支援と倫理への志向を持つタイプの、いわば「地方応援層」で三〇・七%を占めています。「利得志向層」と名付けたタイプは約四分の一を占めており、利得因子が高く故郷支援・倫理志向が顕著に低い傾向を示しています。同様に利得志向が高い一方で、故郷支援・倫理志向が利得志向層ほどは低くない三三・八%を「利得フォロー層」としました。

次いでタイプ別の利用動機の一二項目のスコアを、表1-5に示します。数値はそれぞれの項目で「とても当てはまる」「やや当てはまる」と回答した人の比です。ここでは各タイプの利用動機の特徴がはっきりと現れました。

倫理志向層は利他的な動機の「地方の応援のため」「寄付先地域応援のため」がいずれも九割近くのスコアで、利得のほうにはあまり関心がありません。地方応援層は「返礼品が目的で」に約五割が当てはまるとしていますが、それ以上に「地方の応援のた

表1－5 タイプ別制度利用動機

		全体 n=778 100%	倫理志向層 11.4%	地方応援層 30.7%	利得フォロー層 33.8%	利得志向層 24.0%
故郷支援因子	生育地支援のため	12.9	**36.0**	**26.4**	1.5	0.5
	ふるさと応援のため	18.3	**55.1**	**36.4**	2.3	0.0
	控除がなくとも	7.6	**41.6**	8.4	0.8	0.0
倫理志向因子	地方の応援のため	39.6	**88.8**	**64.4**	27.4	1.6
	寄付先地域応援のため	36.5	**89.9**	**59.0**	23.6	0.5
	共感する使途のため	26.3	**66.3**	**42.3**	14.4	3.7
	使途は気にしない（－）	26.1	11.2	15.9	23.6	**49.7**
利得因子	返礼品が目的で	67.6	1.1	49.8	**86.3**	**95.7**
	節税のため	59.6	20.2	49.4	**70.0**	**77.0**
	返礼品還元率を基準に	57.5	1.1	37.2	**72.6**	**88.8**
	稀少な返礼品があるため	29.3	5.6	33.9	35.7	25.7
	返礼品がなくとも（－）	10.4	**68.5**	7.9	0.4	0.0

「とても」「やや当てはまる」の計の比　太字：全体との各層の χ 2検定：p値＜1.0%

め」などのスコアが高く現れて利他動機が勝っているタイプです。

逆に利得志向層は「節税のため」「返礼品が目的で」「還元率を基準に」に著しく高く反応しています。その一方で故郷支援因子・倫理志向因子の項目では、反応がほぼありません。「地方の応援のため」の項目は倫理志向層が九割、全体平均でも四割が反応していますが、利得志向層で当てはまると答えたのはわずか一・六%でした。

つまり利得志向層は、利得のみを動機として制度を利用しているタイプです。利得フォロー層はこれに準じる傾向を示します。生育地・ふるさと・地方のことはまったく、またはあまり考えず、利得目的の利用を自認する二つのタイプが全体の約六割を占めました。

利用者の過半が返礼品・節税の利得目的が主導する動機で制度を利用しているのですから、ふるさと納税に期待された、ふるさと意識の発現機会の提供の意義は十分に実現していない。ふるさとを大切に思う気持ちを表明するための機会として、ふるさと納税制度が機能しているとは言いがたい分析結果となりました。

†記述に現れたさまざまな思い

クラスター分析によるタイプ区分から、ふるさと納税の利用動機のおおまかな傾向が分かりました。さらに掘り下げて理解するために、ふるさと納税の利用動機を記述してもらった回答を分析します。内容のいくつかを示しましょう。

①毎年、母の田舎に行って現地でお金を使うようにしていた。最近は親戚も少なくなり行く機会も減ったので、ふるさと納税で少しでも力になりたいと思ったから。
②今年は熊本が被災したので、熊本へふるさと納税をしました。昨年までは宮城、福島の被災地へふるさと納税していました。遠い地域へはボランティア活動もままならないし、国はあてにできないので少しでも役に立てばと思っています。

③給料の手取りが減少したため、少しでも食費を浮かせたいと考えたのがきっかけです。また、ふるさと納税をすることで地域の活性化に繋がればいいと思ったから。
④日本全体の活性化は地方の活性化がポイントです、その一翼を担えればと思ってふるさと納税を利用しました。あわせて二〇〇〇円の負担で、普段では味わえない地方の名産が貰えることも魅力です。
⑤今年初めてふるさと納税をしました。親戚の叔母に勧められました。やはり美味しいものが頂けるのが魅力でやってみました。
⑥何か贅沢をしたいと考えた時に、メディア等で話題になっているふるさと納税が良いのではないかと考えました。
⑦二〇〇〇円の自己負担だけで、同じ支出（税額）でありながら、必要な商品を実質無料で入手できるから。これ以上のお得はありません。
⑧ふるさと納税の主旨から外れた過剰な返礼品に疑問を持っていましたが税の使い道に不信感を持っているので、ふるさと納税で少しでも節税したい。
⑨取られる税金が高すぎるので、少しでも合法的に節税をしたくなり、何もしてくれない地元の自治体の税金の一部を家族全員で昨年から寄付を始めました。返礼品を考えれば、個人的にはお得です。

利用者はさまざまな思いでふるさと納税を利用していることが分かります。①は肉親の故郷への思い、②は被災地への支援が動機です。いずれも地域に対する思い、制度の設計者が期待した通りのふるさと意識にもとづく利用動機です。③④は、地方貢献の思いと返礼品の利得動機とが混在したタイプで、地方応援層にあたります。⑤⑥⑦は、正直に返礼品の利得が目的であると答えた利得志向層です。

⑧⑨では、ふるさと納税の利用動機の記述に、行政・税制に対する不信感が現れています。ふるさと納税利用者の動機のなかには、ふるさとを支援したい、または単に得をしたいというだけではなく、ある種の政策的なスタンス、立場が背景にありそうです。

†地方応援の動機がない利用者

ふるさと納税の利用動機を把握するうえで、こういった個々の回答を読み込むのはとても興味深いのですが、タイプ別の特徴を把握するためには工夫が必要です。そこでテキストマイニングという統計処理の頻出語分析を適用します。この分析は、要は記述に出てくる単語をいちいち数えてみるという作業で、消費者のニーズ分析などでよく利用されます。ここでは利用動機の自由記述に現れる単語の出現率を、全体の計とタイプ別に算出しました（表1-6）。

ありがたいことに分析した甲斐のある結果が得られました。数字の太字は、それぞれのタイプで特に顕著に多く、または少なく出現した数値（平均と比して統計上で有意な違いがある値）です。

全体の単語出現率を見ると、上位の頻出語は「返礼品」「お得」「節税」でした。利得を主たる動機とする利得志向層が四分の一を占め、返礼品を望む地方応援層も三割近くいる結果を反映しています。「返礼品」の語は全体の約三分の一に出現しており、自由記述で見ても返礼品の利得がふるさと納税利用の主たる動機となっています。一方で「応援」は八％、「貢献」も五％出現しています。この二つの語は多くの場合、「地方」「地域」「被災」などの語と同じ記述のなかで出現します。

タイプ別の単語出現率をみると利用動機の違いが頻出語にも表れています。約一割の少数派である倫理志向層は「返礼品」「お得」の出現が全体と比して顕著に少なく、「応援」「地域」「自分」「被災」「災害」の出現率が高くなっています。利得への関与が低く、被災した「地域」の「応援」など利他的な動機があると解釈できます。

倫理志向層で特異に出現する語のうち「自分」は、他の語ほどは文脈上の意味が明らかではありません。強いポリシーのある少数派らしい、自己主張の現れだとも思われますが、

表1-6 利用動機記述のテキストマイニング頻出語分析（出現率）

	全体 n=778 100.0%	倫理志向層 11.4%	地方応援層 30.7%	利得フォロー層 33.8%	利得志向層 24.0%
返礼品	32.0	**6.7**	27.6	**41.1**	36.9
お得	14.0	**0.0**	7.9	**21.3**	18.2
節税	13.8	6.7	9.6	17.5	17.1
地方	11.8	11.2	**20.9**	11.4	**1.1**
魅力	11.2	2.2	11.3	11.8	14.4
税金	10.4	7.9	14.2	9.5	8.0
ふるさと納税	9.0	14.6	11.7	7.6	4.8
納税	8.9	9.0	**14.2**	8.4	**2.7**
応援	8.2	**21.3**	**14.6**	3.8	**0.0**
地域	7.8	**20.2**	11.7	4.6	**1.6**
お礼	5.3	1.1	5.0	5.7	7.0
貢献	5.1	11.2	8.8	3.4	**0.0**
自治体	4.9	9.0	7.5	3.8	1.1
自分	4.5	**13.5**	5.9	2.7	1.1
活性	3.9	3.4	**7.5**	3.4	**0.0**
寄付	3.9	6.7	6.3	1.5	2.7
2000円	3.7	0.0	1.7	6.1	4.8
対策	3.6	1.1	4.6	2.7	4.8
貰える	2.8	1.1	1.3	3.4	4.8
被災	2.2	**7.9**	3.8	0.4	0.0
支援	2.1	4.5	**4.6**	0.4	0.0
災害	1.7	**10.1**	1.7	0.0	0.0

太字：全体との各層の χ 2検定：p値<1.0%

次項で実際の記述の文脈から「自分」の語の用法を確かめます。

地方応援層では「返礼品」は全体平均なみに出現し、「地方」「納税」「応援」「活性」「支援」の語の出現率が高くなっています。倫理志向層よりも返礼品の魅力を感じつつも、地方への応援、支援の動機を持っていると理解されます。約三分の一を占める利得フォロー層の動機記述には「返礼品」「お得」が他層よりも多く現れます。他には特異な出現率を示す語はなく、並びもほぼ全体と同様となっています。利得フォロー層は、ふるさと納税利用者の典型に近いといえるかもしれません。

利得志向層の動機記述のはっきりとした特徴は「地方」「応援」「地域」「貢献」「活性」「支援」の語がほぼまったく現れない点です。同層に分類された一八七人が利用動機を記述した文章のなかに、「地方」の語の出現は一件、「応援」「貢献」はゼロ件でした。

利得志向層には地方への応援の動機、制度が利用者に期待した「自分が応援する地域に貢献したい」という意思がない。つまり、ふるさと意識を表明する機会の提供をひとつの目的としたふるさと納税制度は、利用者の四分の一に対してはまるで意味をなしていないという結果になりました。

†税の自己決定権への志向

倫理志向層のふるさと納税の利用動機記述のうち、「自分」の語を含む回答を文脈に留意して分析したところ、次のような三つに区分されました。

【a自分の生育地・縁故地】

・最初から自分の生まれた地域にふるさと納税をしていた。もちろん返礼品がない時です。

・夫の転勤で各地に住んだ時、出産や子育て、自分が病気になった時などたくさんの人にお世話になった。

・自分のふるさとは税収が少なく福祉や産業振興に使える予算が少ないのと、たまにはふるさとの味を味わいたいので。

【b使途・納税先の自己決定権】

・税金の使われ方に疑問をもつことが多く、一部でも自分自身が「行き先」のわかる納税をしたいと考えたから。

・富の再分配だと称しとんでもない事に湯水の如く税金が無駄遣いされる。使われ方に自分の意思を反映させたい。

・寄付金の使い道を指定できるので、自分の払った税金が有効活用されていることが実感できる。
・自分の税金の使い道を自分では決められない。ふるさと納税ならある程度、自分の目的に沿った納税ができる。
・税金の使い道に自分の考えを示したい。殺処分ゼロの為に使われるところにふるさと納税している。
・当該自治体が、二酸化炭素排出量を相殺《そうさい》する緑化事業の資金の寄付を募っていて、自分の考えに合っていたから。

【c居住地自治体への不満】

・自分の住む地域よりも地方を応援したい気持ちが大きい。
・自分の住んでいる市町村に納税してもいい事がないので。
・暮らしている自分の区が、ずっと税金を納めていても何も恩恵を感じていないことにいら立ったのが一番の原因。

区分のaで「自分」の語は、生育地または縁故地に貢献したいとする動機記述のなかで使われています。これとは異なり区分bでは「自分の意思」「自分の目的」に代表される

表1-7　ふるさと納税制度の利用者による評価

		全体 n=778 100%	倫理志向層 11.4%	地方応援層 30.7%	利得フォロー層 33.8%	利得志向層 24.0%
	今後もふるさと納税をする	83.5	88.8	79.9	85.9	82.4
対応使途評価	寄付先からの感謝に満足	49.5	**75.3**	58.2	46.4	**30.5**
	誠実に対応してくれそう	47.7	58.4	53.6	46.0	37.4
	心遣いに満足	46.0	**68.5**	54.0	44.1	**27.8**
	地域・産品の情報に満足	46.0	62.9	53.6	44.9	**29.9**
	寄付金使途の情報に満足	36.5	**60.7**	46.4	33.8	**16.0**
	寄付金の使途に満足	35.1	**60.7**	44.8	28.5	**19.8**
利得効果評価	返礼品に満足	75.4	59.6	76.6	77.9	78.1
	節税効果に満足	57.2	41.6	55.6	62.7	58.8
	期待以上の贈り物	48.6	46.1	55.2	49.0	40.6

「とても」「やや当てはまる」の計の比　太字：全体との各層のχ^2検定：p値<1.0%

ように、納税先、税の使途を自分で決めたいという主張、自己決定権を行使するために制度を利用している動機が表れました。cの場合は税を納める現居住地への不満から、やはり納税先の自己決定権の行使を動機として、ふるさと納税を利用しています。

これまでの分析では、経済的な利得を必ずしも求めない倫理的な因子と、それを主たる動機とするタイプの倫理志向層が抽出されています。そこに現れた「倫理」は、aのようなふるさと意識による地域貢献への意思にとどまらず、個人の主体的な意思を税の使途と納税先決定に及ぼしたい、自己決定権を行使したいというb、c区分のような動機があることが分かりました。

†ふるさと納税制度をどう評価したか

利用者のふるさと納税制度の評価を把握します（表1-7）。対応使途評価の各項目で、倫理志向層は七五・三％が「寄付先からの感謝に満足」と答えるなど全体平均と比して有意に高く制度を評価しています。一方で利得志向層は多くの項目で評価が顕著に低く、寄付の使いみちや自治体の対応に関心の低い態度が見てとれます。

利得効果関連項目では、全体の七五・四％が「返礼品に満足」しています。返礼品目的の動機が強くない倫理志向層ではやや低いものの、他の三つのタイプでは八割弱が返礼品に高い満足を示しました。「節税効果に満足」も全体で半数以上の高い反応です。

ふるさと納税の利用者は、倫理志向層では自治体の対応と使途を評価し、また全タイプが返礼品・節税効果の利得効果を評価しています。これにより制度の継続利用意向「今後もふるさと納税をする」への反応は全体で八割を超え、四つのタイプすべてで高いスコアを示しました。利用者はタイプを問わず、総じてふるさと納税制度を高く評価します。

4　ふるさと意識は喚起されたか

ふるさと納税制度の利用によって、ふるさと意識が喚起されたかどうかを分析していきます。まず全体とタイプ別の喚起効果を捉え、次いで利用者の動機と制度評価が、ふるさ

表1-8　ふるさと意識喚起効果

		全体	倫理志向層	地方応援層	利得フォロー層	利得志向層
		n=778				
		100.0%	11.4%	30.7%	33.8%	24.0%
ふるさと意識喚起	寄付先をもっと支援したい	38.0	**82.0**	**54.8**	30.8	**5.9**
	寄付先を身近に感じる	27.2	**53.9**	**38.5**	22.1	**7.5**
	使途にもっと支援したい	24.7	**51.7**	**34.3**	19.4	**7.0**
	寄付先にお返しをしたい	16.3	**42.7**	**24.3**	9.5	**3.2**
	寄付先にいつか住みたい	7.1	**16.9**	**11.3**	3.8	**1.6**
	寄付先をもっと知りたい	29.0	**52.8**	**41.0**	23.6	**10.2**
	寄付先地域の課題理解	21.3	**56.2**	**29.3**	12.5	**7.0**

「とても」「やや当てはまる」の計の比　太字：全体との各層のχ 2 検定：p 値 <1.0%

と意識の喚起にどのように影響しているのかを総合的に把握します。

†効果は限定的

ふるさと意識は各層でどの程度喚起されたのか、利用者に聞いた結果が表1-8です。「寄付先をもっと支援したい」は全体で三八・〇%、「寄付先を身近に感じる」は二七・二%などの反応が得られています。これらも層によって反応に偏りがあり、「寄付先をもっと支援したい」は倫理志向層では八二・〇%、利得志向層では五・九%と大差がありました。

利得志向層は、ふるさと意識喚起の関連項目は著しく低い反応となっており、全項目で全体と比して有意に低く、すべて一〇%程度以下のスコアです。

制度の重要な意義である、ふるさと納税によるふるさと意識喚起の効果は限定的に現れています。四分の一を占める利得志向層ではふるさと納税を利用しながら、ふるさとへの思いは、ほぼ喚起されていません。

これまでに把握した利用動機および制度への評価の、ふるさと意識喚起への影響関係を共分散構造分析という方法で把握します。共分散構造分析は、仮説モデルの要因間の因果関係を把握するときに使います。調査などによって得られたデータ（観測変数）を潜在的な因子（潜在変数）にまとめて、各変数のあいだの影響の強さを分析できる手法です。

ここでは、ふるさと意識の喚起に対して、ふるさと納税の利用動機が直接に、または制度への評価を通じて間接的に影響するという仮説を検証します。図1-3に示した基本分析フレームに従い、左側に制度の利用動機の三つ、中央に二つの制度評価、全体の目的変数となる位置にふるさと意識喚起効果の各潜在変数を置いた仮説のモデルを構成しました（図1-4）。外的な影響要因として利用者の世帯所得・年齢もモデルに組み込みました。直線の矢印は影響関係の方向、曲線の矢印は相関関係を表しています。

†返礼品の効果は見られない

それぞれの動機からふるさと納税を利用し、寄付先地域の対応や使いみち、そして返礼品・節税の利得に満足して評価することを通じて、ふるさとへの思いが喚起されるという

図1-4　ふるさと意識喚起への諸変数の影響関係モデル

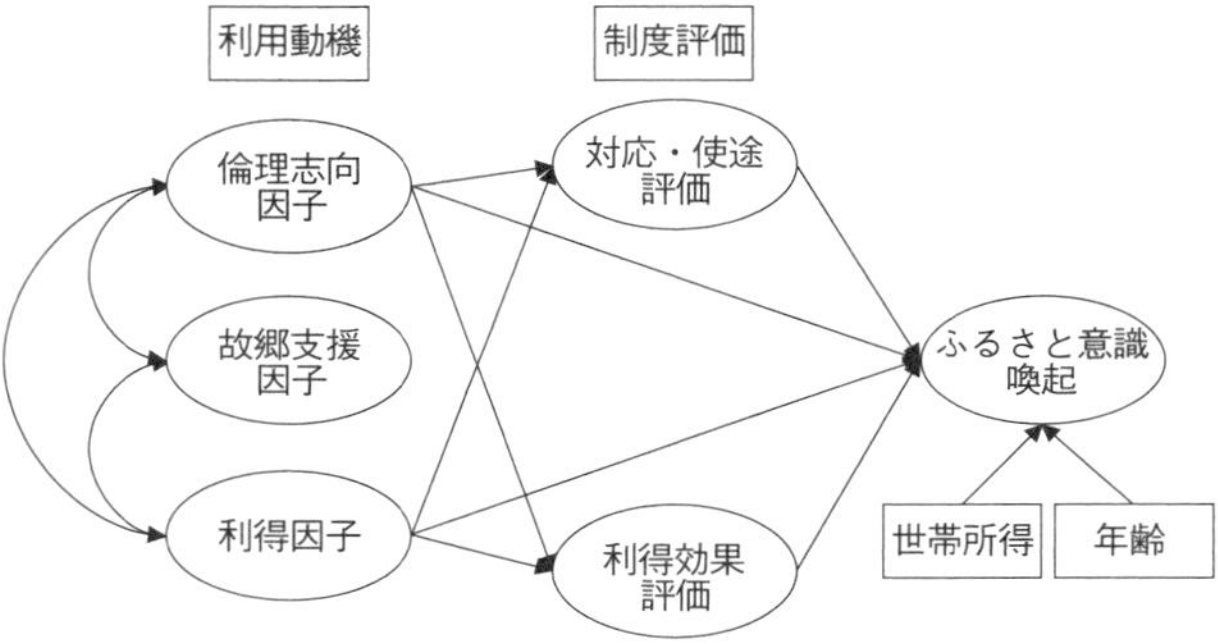

影響関係が十分に強ければ、制度のふるさと意識を喚起する政策目的は達せられたといえます。

調査で得られたデータをこのモデルに適用して共分散構造分析を行った結果が図1-5です。モデルの妥当性、当てはまりぐあいを評価する指数は一般に許容される範囲のうちに収まっています。ふるさと意識喚起についての各要因の影響関係を想定したこのモデルは、全体として的はずれではないということです。

各潜在変数から伸びる矢印は影響関係、数字は変数間の影響の強さを示す係数、標準化推定値です。標準化推定値は基本的にはマイナス一からプラス一のあいだで現れ、値が大きいほど影響が強いと理解されます。潜在変数間の〇・五以上の強い影響関係は太線で示しました。点線は統計的に有意な影響が認められなかった関係です。

利用動機の因子から二つの評価への影響を見ると、

図1-5 ふるさと意識喚起への諸要因の影響（標準化推定値・実線：p値<1.0%）

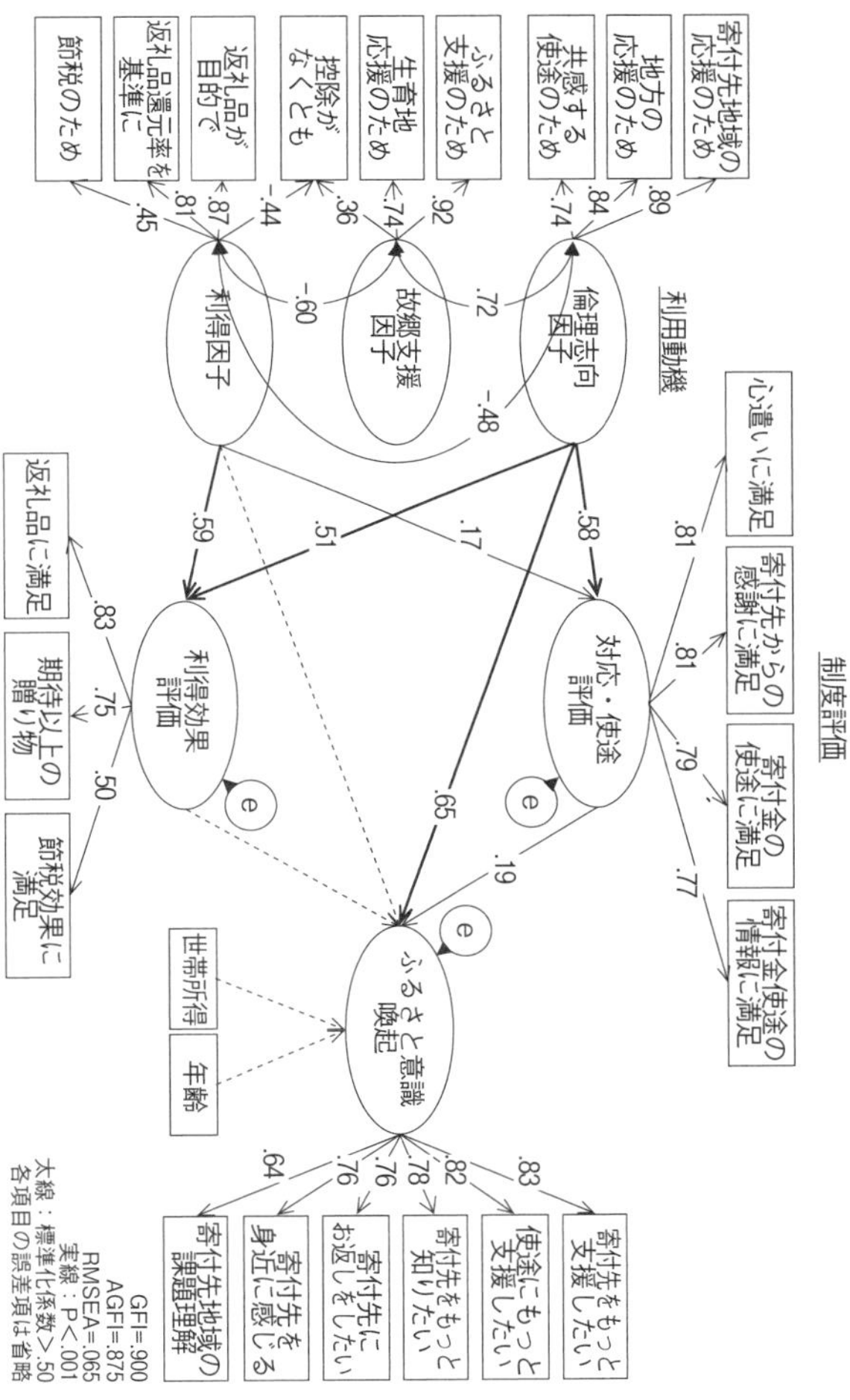

倫理志向因子から対応・使途評価および利得効果評価への経路は標準化推定値で〇・五以上の強い影響があります。利用者に「寄付先地域の応援のため」などの倫理的な動機があるほど、地域の対応・使途への評価が高く現れる、また制度で得られる利得への評価も高いといえます。

「返礼品が目的で」などの利得因子の動機からは利得効果評価への影響が〇・五九と強く現れて、対応・使途評価への影響関係は〇・一七と係数は比較的に大きくありません。制度利用の動機が利得目的であるほど、地域の対応・寄付の使途への関心が薄く、満たされた利得目的の評価が高いと解釈できます。

二つの制度評価からふるさと意識喚起効果への経路のうち、対応・使途の評価からの係数は〇・一九と、弱いながらも有意な影響がありました。寄付先地域の側の対応によって、利用者にふるさと意識が喚起されるといえます。他方で利得効果評価からふるさと意識喚起への影響は統計的に有意ではありませんでした。ふるさと納税利用者が地域からの返礼品と節税効果に満足しても、「寄付先をもっと支援したい」などの、ふるさと意識が高まる影響があるとはいえない結果となりました。

潜在変数間の影響関係が最も大きいのは、倫理志向因子からふるさと意識喚起への直接の経路で、係数は〇・六五を示しています。利用者に「寄付先地域の応援のため」「地方の応援のため」などの動機が強いほど、ふるさと意識が強い。つまり、もともとふるさと意識が強ければ、制度で提供される利得に関わりなく、ふるさと納税の利用を経ずして、ふるさと意識が高いということになります。

利用者がふるさと納税で得られる利得を評価しても、「「ふるさと」に対する思いの高まり」が得られる効果は見られない。現行の制度で実践されている返礼品・税控除の利得の提供は、「「ふるさと」の恩に感謝する」きっかけとして機能しているとはいえない分析結果となりました。このような現状は、ふるさと意識の喚起を求める制度設計者の意図、ふるさと納税の政策目的にとうてい適うものではありません。

†控除率を減らすと制度利用はどうなるか

ふるさと納税制度による利用者への利得のうち税額控除について、これを減らしていくと利用者数・寄付額はどのように変化するかを検証しました。これは価格を上げていく、または下げていくと需要はどう変化するかをテストする、マーケティングの価格弾力性調査の応用です。

ふるさと納税では、前述のように寄付した額に二〇〇〇円を減じた分の一〇〇%が納税額から控除されます。現状の制度で定められた一〇〇%控除から〇%控除まで、二五%ず

表 1－9　控除率による利用者数・寄付額の変化

利用者数の変化	全体	倫理志向層	地方応援層	利得フォロー層	利得志向層
現状 100%	100%	100%	100%	100%	100%
控除 75%	79%	93%	87%	78%	65%
控除 50%	66%	91%	78%	60%	45%
控除 25%	45%	83%	55%	38%	24%
控除 0%	16%	62%	23%	5%	3%
弾性指数	0.77	0.26	0.59	0.87	1.12

寄付額の変化	全体	倫理志向層	地方応援層	利得フォロー層	利得志向層
現状 100%	100%	100%	100%	100%	100%
控除 75%	65%	91%	64%	65%	57%
控除 50%	43%	81%	46%	43%	28%
控除 25%	27%	58%	28%	28%	14%
控除 0%	11%	37%	14%	8%	3%
弾性指数	1.10	0.48	1.09	1.11	1.32

弾性指数：各段階の控除率１ポイント減に対する利用者数・寄付額の減少率の平均。

つ四段階で減らした控除率と控除額例を利用者に順に提示してテストします（設問例：寄付額の七五％が戻る制度になったら／例：五万円を寄付した場合に三万六〇〇〇円が戻る）。

表1-9の全体の変動を見ると、控除率七五％では利用者数が七九％に減少し、寄付額は六五％に減っています。控除率〇％、すなわち寄付に対して控除がない設定では一六％の利用者が残り、金額は一一％になる。控除率の変化につれて利用がどのように変わるかを示す弾性指数を見ると、控除率の一ポイント減に対して利用人数は

〇・七七ポイント、寄付額は一・一〇ポイント減り、金額のほうが先に減少していきます。

タイプ別の利用者数の変化の傾向は、図1-6の控除率弾性グラフで確認できます。倫理志向層は垂直に近い推移で控除率の変動への反応が小さく、利得志向層は控除に敏感に反応して弾性が高い傾向があります。控除が〇%になった際、寄付をしても何も戻ってこない段階では、倫理志向層は人数比で六二%が残り、利得フォロー層は五%、利得志向層は三%が残ります。これまでの検証でみた通り、倫理志向層は利他的な動機で制度を利用し、利得志向層は利得のために合理的にふるさと納税を利用しているという各タイプの傾向が、控除率弾性の分析でもはっきりと現れました。

図1-6 利用者数の控除率弾性グラフ

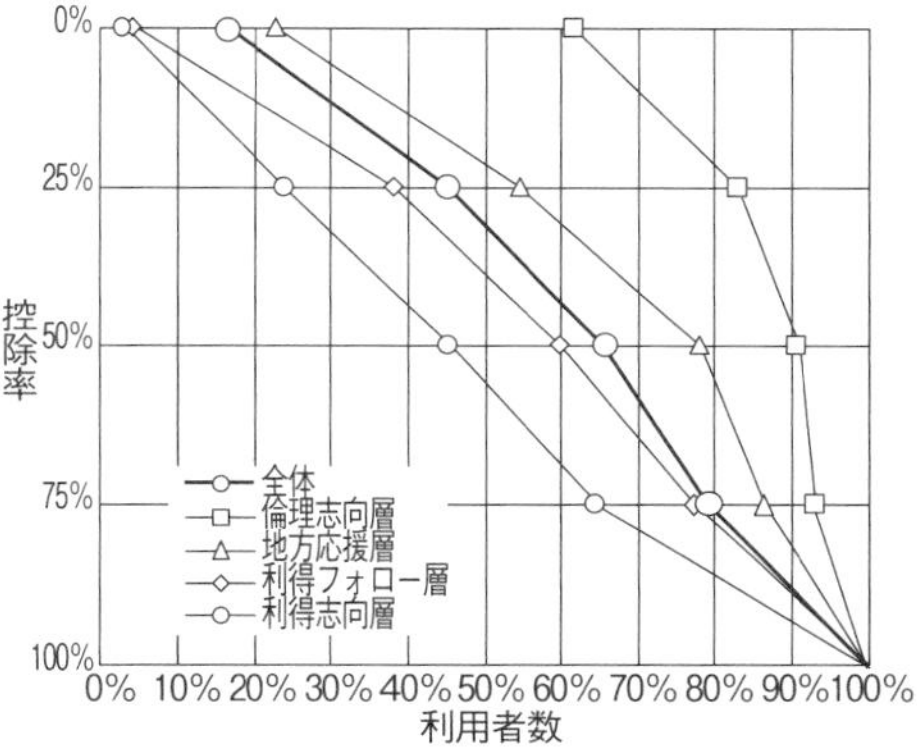

5　ふるさと納税の政策目的は妥当か

†利得目的の利用者には意識喚起なし

制度利用者の意識調査の結果をまとめます。ふるさと納税を利用する動機は全体として経済合理的な利得目的を基調としていました。ほぼ利得目的のみで利用しているタイプが四分の一、それに準じるタイプとあわせて六割弱を占めます。

残りの四割強には、地方を支援したい気持ちがあり、また税の使途を自分で決めたいという自己決定権への志向がありました。利得目的の強い二つのタイプにおいては、ふるさと意識の発現機会の提供という政策目的は十全には、またはまったく果たされていません。総じて制度は、ふるさと納税研究会報告書が期待した「自分が応援する地域に貢献したいという真摯《しんし》な思い」というより、利得目的で利用されている側面が強いといえます。

共分散構造分析をつかった諸要因の影響関係の分析では、ふるさと納税における自治体の対応、寄付の使いみちの評価からは利用者のふるさと意識を喚起する一定の影響が見られました。

一方で利得志向層ではふるさと意識はまるで喚起されていませんでした。また制度の利用による返礼品＋一〇〇％税控除の利得の提供が、「寄付先をもっと支援したい」などのふるさとと意識の喚起をもたらす影響関係は認められませんでした。住民が納めるべき税金を原資に制度利用者が得た経済的な利得は、設計者が期待したようなふるさとへの「恩返しの思い」「本来の人間性への回帰」などの意識喚起を起こしているとはいえません。

意識調査では、政策目的が結果として達せられているかどうか、「ふるさとと意識」に関する政策の帰結について検証しました。調査からは他の論点にも関連するデータが得られています。これを踏まえながら、ふるさと納税政策の目的自体について、いくつかの視点からその妥当性を検証します。活動の目的の評価は、ソーシャルマーケティングでも必要とされる視点です。

税制、選挙制度、民主主義のそれぞれの基本原則から、また自由主義およびそれに相反する参加民主主義の立場から、ふるさと納税が適切な制度かどうかを考えます。

†税の強制性と納税者の選択

今回の調査で「自分の意思」を納税先、税の使途の選択に及ぼしたいという動機をもった制度利用者が現れました。このような納税者の気持ち、自分の価値観や社会観をもっと自由に、直接に税制に反映させたいとの望みは当然ありえます。ただ、これを税制で応えるべきかどうかは論点となります。

ふるさと納税研究会は「納税者による選択」をふるさと納税の意義として挙げていました。つまり調査で現れた利用者の税の自己決定権への志向は、制度による意図せざる結果ではなく、政策目的に組み込まれています。

ただし政策目的であり、かつ利用者が実践している「納税者による選択」は、近代の税制の基本である租税法律主義の原則に抵触する可能性があります。租税法律主義は、税は法律によらなければならないという近代国家の税制の原則です。

この原則のおかげで権力による恣意的な税の徴収は退けられ、法に定められた範囲で徴税が実施されて執行されることになります。同時に、国民は法で決まった税制には従わなければならない。個々の成員の意思にかかわらず、権力によって税は強制的に徴収・執行されるという原則でもあります。

ふるさと納税と同様に納税者の意思が税の使途に関与できる制度のひとつが、米国の「タックス・チェックオフ」制度です。この制度では、納税者が所得税の申告をする際に、自分が納める連邦所得税の一部（一人あたり三ドル）を大統領選挙への運動資金へと配分するかどうかを選べます。この制度は、巨額の資金をもつ富裕層が大統領選を左右する弊を避けて税を使った公営選挙に近づけたいという意図と、選挙民の支持を得て当選を目指す選挙運動は政府が介入してはならないという考え方との折衷で成ったものでしょう。

租税理論研究の石村耕治氏によるとタックス・チェックオフについては、やはり租税法律主義の観点からの批判がなされています。すなわち税は本来、「一方的・権力的な課徴金（involuntary monetary taking）の性格を有する」ものであることから、納税者の意思が税の使途に関与する制度はこれに反するという批判です。国民が納める税の使途を直接に左右できるタックス・チェックオフ制度は、使途も金額もきわめて限られた範囲ですが、税の「一方的・権力的な課徴金としての性格を変える意義を有している」と石村氏は述べます。

ふるさと納税制度が租税法律主義の原則に抵触しかねない点は、ふるさと納税研究会の報告書でも「強制性を本質とする「税」とは相容れない」と言及され、検討がなされています。これについて研究会は、ふるさと納税に「「寄付金」税制を応用する方式」をとれば、「寄付は任意性を本質とするものであり、そもそも問題とならない」と結論付けました。

しかし税ではなく寄付だと言い換えをするふるさと納税研究会の主張は、まずは語の用法として相当にアクロバティックです。寄付とは自分の身銭を切って、見返りを求めず提供する行いです。自己負担によらず支払うべき税を原資として、返礼品の報酬を求める行為をも同じ「寄付」と呼ぶのはとうてい無理がある。

まして今回の調査結果で制度利用の動機は、経済的な利得が主導していることが明らかになりました。動機の自由記述では「今までやらなくて損した」「利用しないと損だと思う」、また「結局ふるさとには関係なく損得で考えてしまう」との回答もあります。公益への意思のない、このような意図をもった利用者の行為を「寄付」とするのは適当ではありません。ふるさと納税は寄付ではなく、税に納税者の自己決定権を導入する制度と捉えるべきでしょう。

†納税者の自己決定権は税の使途に及ぶか

ではこのような制度は、いかなる立場から正当化できるのでしょうか。

利用動機の自由記述のなかに「富の再分配だと称しとんでもない事に湯水の如く税金が無駄遣いされる。使われ方に自分の意思を反映させたい」という意見がありました。政府、地方自治体の税の使途が適切かどうかはともかく、たしかに税は再配分に費やされます。税によって富裕層から低所得者層への強制的な所得移転がなされます。また所得が高く資産が豊かなほど、税を原資とした行政サービスの恩恵は少なく負担は大きい。

こういった事態は所得税・住民税を多く納める層にとって、あわせて権力による強制を厭う現代の市民層にとって、まったく喜ばしくないものです。住民税額が多いほど利得が得られ、税制に主体的な意思が関与できるふるさと納税が、納税者に高く支持されるのも不思議はありません。

ただ納税先・税の使途の選択を個々の納税者の主体的な「自分」の意思、自己決定権に委ねる制度の、理論的・思想的な根拠を求めるのは困難です。権力によって強制的に徴収・執行されるという税の性質は、君主制や共産制に限るものではありません。民主制であればいっそうの正統性をもって税は、国民に強制的に課せられます。「税の強制性」は社会主義、社会民主主義、リベラリズムはもちろん、夜警国家を志向する自由主義も含めて、あらゆる現実的な社会構想が認める、認めざるを得ない、税の本質だからです。

ふるさと納税において、税に「自分の意思」が関与する点について報告書は、「税というものの意味と意義に思いをいたす」機会となると述べていますが、ふるさと納税制度はむしろ税の本質を捉え損なう契機となっているといえます。

ふるさと納税研究会の要請により外務省が、OECD加盟国など一九カ国を調査したところ、納税者の意思によって納税先を選択できる制度を持つ国はありませんでした。研究会が自負したように、ふるさと納税が類例のない「税制上、税理論上、まさに画期的」な制度であるのは、普遍的な税の本義に照らして疑問のある制度が主要国では採用されないためであるとも考えられます。

†市川市一%条例の実験の帰結

納税者が政策を選んで寄付をする制度は、ガバメント・ファウンディングなどとも呼ばれて注目されているようです。ふるさと納税についても納税者が政策を選択できる点が、制度の積極的な側面として指摘されています。

ふるさと納税制度によって市民が政策を選べるのであれば、それは民主的で良いことのような気がします。しかし納税者による政策選択についても、よく考えてみると大きな問題があると言わざるを得ません。実践された制度を例に検討してみましょう。

税の使途に納税者の自己決定権を部分的に導入する制度は、他の例がまったくないわけではありません。海外ではハンガリーなど東欧で「一%条項」として、納税額の一部の配分を、提示された公益に資する使途のなかから納税者自身が選べる制度があります。この制度は教会税の伝統のもとに成立したものだとされます。

これに範を取って国内でも二〇〇五年に千葉県市川市で一%条例、「市民活動団体支援制度」が施行されました。これは市が指定したNPOなどから納税者が選択〝投票〟して、その活動に住民税納付額の一%を交付する制度です。

市川市の制度は市民が税の使いみちを選択することで納税意欲を高める、市民活動への関心を高める、その活動を支援するという目的で定められました。住民税額の二〇％程度を納税者が寄付できるふるさと納税と比べて量的にはるかに小さく、総額も初年度一一〇〇万円と大きなものではありません。

ただ前例のないこの制度に対しては同市議会でも賛否があり、活発な議論がなされました。制定当初からの論点のひとつとして、納税者以外は選択に関与できないという批判がありました。同市の有権者約四〇万人に対し、住民税を納める納税者は二三万人、低所得者や専業主婦、高齢退職者など半分近くの住民がこの制度による政策決定に関与できない、つまり参政権がありません。この点については二〇〇七年度から、ボランティア活動参加などへの参加を要件に、非納税者でも〝投票〟権が与えられる制度に改められました。

また、この制度では納税者が税の使途に投じる一％は、当然、納税額によって金額が異なります。所得が高いほど交付に回せる額は多くなる。つまり高所得者ほど政策決定に高く関与できるために、平等選挙の原則に反するという批判も起こりました。

二〇一五年度に、選択した納税者あたりの交付額が最も多かった団体は、少なかった団体と比して選択者一人あたり一二・二倍の交付金を得ていました。市川市の制度では、市民が政策選択に投じる〝一票の価値〟が、納税額によって一二倍違っていたということになります。最高裁が二〇一四年の衆院選挙で違憲状態だと判断した一票の格差は二・一倍ですが、これをはるかに超えて、高所得者に政策関与の権利が高く与えられていました。こういった投票価値の不平等の課題に加えて、交付額に比して経費が大きいという費用対効果の問題もあり、市川市での納税者選択制度は二〇一五年度を最後に廃止されました。

ここで問題であった住民の政策関与の不公平の問題は、ふるさと納税にも共通します。参院調査室の三角《みすみ》政勝氏は二〇一五年の時点ではふるさと納税の規模がまだ小さかった点から「杞憂《きゆう》」であるかもしれないと留保しつつ、「納税者による選択」を許す制度は「普通選挙制度の趣旨に抵触する可能性があることに留意する必要がある」。また「高額納税者に政策の決定権を加重に付与することは、民主主義の根幹に関わる」と述べています。その後ふるさと納税額は一〇倍以上となり、見過ごせない規模となっています。

納税額を選挙人の要件とする制限選挙は、明治大正の長きにわたる民主主義運動の末に一九二五年にようやく撤廃され、「普通選挙」が成立しました。ふるさと納税が実現した「納税者による選択」は、いわば普通選挙以前の制限選挙に部分的に逆戻りするものです。

ふるさと納税による政策選択は納税者でなければ政策決定に関与できず、所得が高いほど〝一票の価値〟が高く与えられます。つまり国民の参政権の点から、また投票価値平等の原則から見ても制度には問題があります。

†民主主義とふるさと納税

ふるさと納税の「納税者による選択」については、もう少し検討を進めなければなりません。税を社会保障にバラ撒きたい、または費やしたくない。あるいは小学校校舎の耐震補修に予算を割きたい、税によって野犬の保護施設を作りたいなどの各個人の政策への意思は、そのまま政府・自治体の施策として実現させることはできません。

日本を含め民主主義が採用されている体制であれば国民の意思は、投票を通じて政策に反映されます。ただ、その場合も納税者個人の選択、個人の主体的な意思ではなく、議論を経た投票の結果、成員を代表する議会での決定が、全体の意思として税の使途、政策を決定します。

市民は、彼が反対したにもかかわらず通過した法律にさえ同意している、『社会契約論』でルソーはそう述べています。議会のある代議制でも直接民主主義であっても、公的な政策の決定のための投票に参加する際には、選ばれなかったほうに投票した少数者も、投票の結果に従わなければならないという原則が民主主義にはあります。

政府税調の委員でもあった財政学者の神野《じんの》直彦氏は、「税をどのように負担するか、集めた税を何に使うかは本来、議会を通じて社会全体の共同意思として決めるもの」と述べて、ふるさと納税制度を原理的に批判しています。

まずは、集団一般の方針を決める際に、その成員が投票に参加する以上は、決め方が多数決であれ他の方法であれ、投票結果には個人の意思にかかわらず従うのが前提です。参加した投票の結果が自分の思い通りにならなかった際に、自己決定権への侵害であるなどとして結果に従わないのは、約束をたがえる身勝手で不正な行為とみなされます。投票への参加は決定への参加と同時に、投票の結果に服するという約束への合意を意味するからです。

民主制国家では、だれでもが政策決定への投票の参加を保障されている点が統治の正統性の根拠になっています。そのため、選挙での棄権は可能ですが、有権者が投票に参加する権利自体は、権力による恣意的な剥奪はできず、自ら放棄することもできません。民主主義を肯定するのならば、すなわち民主的に決定した政策に従うと合意したことになります。仮に民主制を否定する気持ちがあっても、民主国家の国民は投票に参加する権利から逃れられませんから、個々の意思に関わらず投票結果への服従は義務付けられます。租税法律主義、定められた法に基づく税の強制性もここに由来します。

税の使途、政策の選択においては個々人の意思が直接に関与せず、投票結果に現れる全体の意思が決定するのが民主主義の原理原則です。これは直接民主制でも間接民主制でも同じです。個人の意思を政策に直接に反映できるのは、民主主義ではなく独裁制国家の独裁者の場合です。

地域の政策決定においても地方自治法の第九六条は、使途の指定のある寄付を地方自治体が受け入れる際には議会の議決を必要とすると定めています。これは地方政府の全体意思が、特定の個人の意思に拘束されないための条項だと捉えられます。

ふるさと納税は民主主義的な「共同意思」に依らず、個々人の主体的な意思、納税者の自己決定権により税を配分して政策を決定する制度です。「納税者の選択」を実現するふるさと納税の政策目的は、税制の本義だけでなく民主主義の本来的な基本原理に抵触しかねないといえるでしょう。

†政府はふるさと意識を優遇すべきか

ふるさと納税のほかにも寄付に対する税控除の制度はあって、福祉、文化振興、途上国支援、自然保護などそれぞれに公益が認められた認定NPO法人への寄付は所得税からの税額控除がなされています。これは、納税者の善意の価値観にもとづく身銭を切った寄付が公益に貢献する団体に対するものであれば、税金の一部を免除しようというものです。

認定NPO法人への寄付の控除は四〇%に設定されています。ふるさと納税は寄付額に対して一〇〇%の控除ですから、他の公益貢献と比してはるかに有利な待遇を受けています。公益に貢献せんとする他の価値観に優先し、制度を利用しない人々も含めて、さまざまな信条を持つ住民全体の負担を原資に、ふるさと意識だけをとりわけ優遇して、それを喚起せんとするのがふるさと納税制度です。この点から、ふるさと意識のような特定の価値観を政府が他よりも優遇するのは妥当かどうかが論点となります。

ふるさと納税は地方自治体が提供する公共サービスへの寄付です。小さな政府を志向する自由主義の立場からは、公共サービスの原資はできるだけ自発的な民間からの寄付によって賄われることが望ましいとされます。自民党の平成二〇年度大綱の「民間が担う公益活動」は、そういった立場からふるさと納税が提起されています。

ただし自由主義は、ふるさと意識などの価値観を他に抜きんでて政府が後押しする、有利に扱う仕組みを正当化しません。政府が特定の価値観に肩入れするふるさと納税制度は、自由主義が最も告発する権力による個人の自己決定権への介入、パターナリズムであり、個人の財産権への侵害だとの批判があり得ます。ふるさと納税制度の税の減免が自発的な寄付の社会習慣の定着の契機になるのであれば、まだしも限定的な範囲で猶予される余地があるといえるかもしれません。しかし前節でみた調査結果からは、そういった影響関係は認められませんでした。

自由主義の他に、市民は政策・政治に積極的にかかわるべきだとする参加民主主義からふるさと納税を正当化する観点もあると思われます。前述の伊藤恭彦氏がふるさと納税制度を部分的に評価して、「個人が社会の担い手として、積極的に社会形成に関与する」としていたのはこれにあたるでしょう。

しかし参加民主主義が市民の側の主体的な政治参加に価値を置くものと捉えると、政府の側から特定のイシューについて〝市民参加〟を促して他の価値観よりも特別に優遇する制度の妥当性には疑問符が付きます。参加民主主義の立場に依らずとも、主体的な意思による公益への市民参加などの無償の善意の行為は、一般的にも価値があるとみなされて貴ばれます。ただ価値があると認められるのは、動機が利得ではない見返りのない行為の場合です。

ふるさと納税は逆に、市民が身銭を切らず一〇〇%の税控除と返礼品の利得を与える制度です。実際に調査結果では、制度への市民参加の主たる動因は参加民主主義が批判してきた利得目的であり、クラスター分析で抽出された利得志向層の人たちには地方支援の動機がほぼまったくありませんでした。

民間の自発的な寄付が公共サービスを担うべきであるなら、また個人が社会形成に積極的に参加すべきだと考えるならば、公的な団体への寄付は禁止されていません。ふるさと納税制度に依らず、個人の主体的な意思にもとづいて、自分が応援したいNPOなどへの寄付が可能です。国民の大多数が持つとはいえない特定の価値観を、政府が格段に優遇して利得を提供する制度であるふるさと納税は、その思想的な根拠が問われるでしょう。

6 ふるさと納税制度への提案

ふるさと納税の目的について、近代税制の原理、投票価値の平等、民主主義の原則などいくつかの視点から検討してきました。次にふるさと納税は結果として何をもたらすか、制度が生むリスクについて検討しましょう。

†無責任な有権者を生む制度

ふるさと納税は、住民の自己決定権の行使、住民による自治体の政策選択ではなく、「納税者による選択」を可能にしている制度です。市川市の一%条例制度の試みは市の住民を対象になされたものですが、ふるさと納税では寄付先が居住地に限定されていないため、自分が住んでいない他の自治体の政策を選んで寄付ができます。つまり非居住地域の政策選択に〝有権者〟として参加することになります。ふるさと納税制度の寄付による

〝投票〟が実現した、非居住者による他地域の政策選択への関与には問題があります。

民主制の投票による政策決定は、必ずしも良い帰結をもたらすとは限りません。むしろワイマール共和制を始め、民主的な議会による政策選択が決定的に不正で不幸な事態を招いた歴史上の事例も知られています。しかし国民を有権者とした投票による決定がなされる民主制は、理想的ではないにせよ王制・封建制・神権政治・党独裁など他の制度と比べて正統性が高く、また投票を通じて成員にとってより望ましい帰結が得られる可能性がある制度です。投票による選択は、結果がもたらすかもしれない不幸を克服していける仕組みを不十分ながらも持っているからです。

民主主義の社会で成員は、選択の結果がどうなるかを予想・期待して、政策を掲げる議員や政策に投票します。前項で述べたように成員は定められた選択に従う義務があるのですが、あわせて政策によって生じた帰結も自分たちで引き受けます。

成員が選んだ政策が望み通りとならず、不況の長期化、行政の停滞、社会の分断、自然破壊、敗戦のような誰もが願わない帰結を招いたならば、自分たち自身がその不幸を被ることになります。そこで当初の投票行動への反省が共有され、次にはそのような結果にならないように予想して政策の選択がなされます。

結果の予想は予想であって確かではないので望まない帰結を繰り返してしまう事態もあ

りえますが、投票による政策選択にはこのような帰結の受容と反省の反復を通じて成員にとって、よりましな選択に近づいていける経路が期待できます。実際に、たとえばアメリカ市民が選んだベトナム戦争の帰結、大きな不幸を内外に与えた日本の前世紀の戦争への反省は、その後の国民の政策選択に大きな影響を与えたといえるでしょう。

民主制の国民は選択の帰結が不幸なものでも、国民自身が受容します。そのため政策を選ぶ際の予想、選択への反省も真剣になされうる。民主主義がベターな選択を成しうる可能性があるのは、投票によって政策の決定に関与する有権者自身が、選択の帰結を引き受けざるを得ないからです。(2)

しかし前述のように、ふるさと納税は自治体の政策決定に、域外の非居住者が関与する制度です。自治体の用意した政策メニューを選び、寄付による〝投票〟をしているのは、おもに他の自治体に住む納税者たちです。ふるさと納税は、非居住者が他の地方政府の政策決定に関与する、いわば他地域への内政干渉を許す制度です。

ふるさと納税の寄付による政策選択は、その自治体住民にとって役に立たなくとも、仮に不幸な結果をもたらしたとしても、非居住者にとっては他人事でしかありません。

ふるさと納税制度には、居住自治体の住民税を支払わないことによる住民サービスへのただ乗り、フリーライダーの問題も指摘されています。同時にこの制度が納税者を、他所の地域で政策を選択しながら自分では帰結を引き受けない、〝無責任な有権者〟にしてしまう点も大きな問題です。

†構造的な「税金のムダ遣い」リスク

ふるさと納税制度の寄付対象として各自治体が提示した政策を見ると教育支援、地域産業振興、自然保護のような基本的な政策だけでなく、保護犬の不殺処分、宇宙ロケット開発、子ども食堂の支援、ご当地ゆるキャラの制作など工夫を凝らした、特色ある政策が並びます。ふるさと納税制度の目的のひとつとして自治体が政策の提案とその成果を競いあう「自治意識の進化」が挙げられていました。競争は全国の納税者からの寄付金の獲得を巡って起こります。

開発経済学において開発途上国への寄付には、多くの問題があると指摘されています。まず援助先の必要よりも、寄付する側の都合・意図を優先する利己的なドナー（政府・NPOなどの支援者）の問題があります。自由意志によって投入された寄付は、事業の途上でも自由に引き揚げられて、寄付先社会の混乱を招きかねません。ドキュメント映画「ポバティー・インク」（マイケル・マシスン・ミラー監督、二〇一四）では、身勝手な善意が結果的に寄付先地域にむしろ貧困を生み、産業の成長を阻害して、大きな不幸をもたらす事態が報告されています。

ふるさと納税制度で寄付の使途として選べる政策メニューは、自治体によって提示されています。地域の有権者が選択した議会によってオーソライズされており、また日本の地方は開発途上国ではありませんし、開発経済学が批判しているほどの事態は起こりにくいでしょう。

ただし、この際の自治体の目標はまずは競争環境のなかでの寄付金の獲得ですから、地域住民の必要ではなく、他地域の寄付者の人気を集める施策のほうが獲得競争上で有利です。住民にとって比較的に重要ではない政策が設定されるおそれがある。そもそも住民に切実に必要とされ、かつ継続性が求められる事業は、不安定な寄付を財源とするのは難しい。

たとえば自分が住んでいる自治体が、他地区の保護犬も収容する動物保護施設の運営に毎年五億円の予算を投じるとすれば、もちろん賛成する人も多くいるはずですが、住民から相当な反発を喰らうことは想像に難くありません。わが町では、限られた原資を割くべき重要な使途が他にある、そのような反対意見がたちまちに起こるでしょう。

一般的な市場競争の場合は、自前の家計を割いて購入される商品には厳しい評価、検証がなされて提供品質が向上していきます。同様に住民が納めた税金は厳しく使途が評価されて、選挙による審判が下される仕組みになっています。

しかし、ふるさと納税の寄付は、よその自治体の住民税が移転してきたもので、地域住民が納めた税金ではありません。寄付金を巡る競争においては、自治体住民による結果の評価、検証はおのずと緩くなります。そのうえ寄付する他地域の住民は、前項で見たように結果を引き受けないので他人事です。

比較的に必要性が低い政策に予算を投じ続けることを仮に「税金のムダ遣い」と呼ぶとすると、ふるさと納税制度は無責任な有権者と関心の薄い住民による、税金のムダ遣いを構造的に招きかねない制度です。

†ふるさと納税をやり直す三つの提案

ここまで見てきたように現行のふるさと納税制度は、税制の基本原理や民主主義の原則に抵触する懸念があります。政治思想的には自由主義、参加民主主義の視点からも正当化が難しい。また構造的に税金のムダ遣いとなる政策を促進するリスクがある制度です。これらの短所を上回る公共的なメリットが得られているかというと、調査分析の結果では制度の政策目的であるふるさと意識の発現機会としては十分に機能しておらず利得主導の利用がなされ、また制度の返礼品・控除の利得の提供はふるさと意識喚起につながっているといえませんでした。

今後もこのふるさと納税制度が継続するならば、どのように対応すべきか。制度の改定に向けて三点の試論、提言を示します。

第一に、ふるさとへの貢献を公益への意思の現れとして寄付控除を認めるのならば、控除率は他の公益寄付と同等に設定すべきでしょう。他と比してふるさと意識をとりわけ有利に取り扱う理由は見あたりません。一〇〇%控除を改めて他の寄付並みにすれば経済的な利得は失われて、利用者数・寄付総額は激減します。

税額控除で控除率を四〇%にした場合にどうなるか。表1-9に示した税控除率弾性評価の全体平均の弾性指数を適用して試算すると、制度の利用人数が現状の半分強、寄付額は三分の一になります。総額五一二七億円（二〇一八年度）のふるさと納税が、一七四三億円に減少する計算ですが実際にはおそらくもっと減るでしょう。ただこれは政策目的からすればむしろ好都合です。

図1-6のグラフにも表れているように、経済合理性の高い層から離脱していきますから控除率を引き下げればふるさと納税の利用者のなかで「自分が応援する地域に貢献したい」タイプの人たちの比が増え、ふるさと意識の発現機会の提供の意義が高まることになりま

す。また四〇%の控除があるとはいえ利用者が寄付する際には自腹の持ち出し分が発生するのですから、選択する政策の評価も真剣になることが期待されます。

第二に寄付控除の原資は、住民税ではなく国税、所得税に求めるべきでしょう。元鳥取県知事の片山善博氏はふるさと納税制度を一貫して批判していますが、その主張の中心は、制度が自治の負担分任の原則から逸脱するというものです。

負担分任の原則とは、自分の住む自治体の運営費用を住民は負担すべきであるという考え方です。地方自治法の一〇条二項では「(住民は)その属する普通地方公共団体の役務の提供をひとしく受ける権利を有し、その負担を分任する義務を負う」と定められています。

市川市の一%納税制度は住民の選択により住民税の一部を、市川市の公益に配分するものでした。居住地の公益に対する寄付、居住自治体への寄付であれば住民税からの控除がなされるのは妥当です。しかし、ふるさと納税の寄付先のほとんどが、居住していない他の自治体です。現行の制度下で利用者は、利得目的または自己決定権行使など自治にとって正当性のない動機により、自分の住む自治体への負担の義務から逃れて〝フリーライダー〟になっています。国全体の政策としてふるさと納税制度が必要なのであれば、控除の財源は国税から配分されるべきです。

第三は、地域間の財政再配分の役割はふるさと納税でなく、地方交付税など既存制度の強化によって対応すべきだという提言です。

前述の西川氏が提唱したライフサイクル・バランス税制の問題意識には説得力がありました。都市の経済・産業が地方を支えており、同時に地方からの恩恵を得て都市は発展しています。都市に送り込まれる人材の育成、自然環境の維持、食糧の供給は、地方がおもに担っています。歴史的にも日本社会の近代化、戦後の経済成長は、地方の貢献と犠牲のうえで成立しました。都市と地方は相互に支え合う関係であるのに、都市には税源が豊富で地方はそれに乏しい。ふるさと納税研究会も主張しているように「地方が疲弊すれば、都会の繁栄も成り立たない」のですから、都市は地方を財政的に支援しなければなりません。

ただし現状でも地方で育てられる人材の教育・福祉などの費用は、国庫支出金で支払われています。地方の自然の維持の役割については自然環境整備交付金が、食糧供給に対しては市場価格が支払われたうえに厚い農業政策の支援が地方に配分されます。自治体が自由に使途を決められる地方交付税交付金も含め、税源の豊かな都市の地域が、既存の制度を通じてこれらの原資を高い比で負担して、それが地方に配分されています。

それでもまだ都市への貢献が現状では十分に報われていないという提起を認めるのなら、

地方はいっそうの配分を要求する権利があるといえます。権利の要求には、任意の寄付は対応できない、義務としての対応がされなければなりません。中央政府による配分、地方交付税交付金の見直しなど制度的な対応が必要です。もとより地域間の利害調整、財政の再配分は、個々の納税者ではなく中央政府が果たすべき役割です。

†どうやってふるさと意識を高めていくか

社会学者ベラーは集団に属する成員が感情的結合にもとづく「共同善」の実践として、地域共同体の公益に参加する社会が望ましいという立場をとります。また主著『善い社会』で市民の公益参加について論じる中で、「制度とは、私たちがまっとうな社会を達成しようと協力するとき、自分や他者のアイデンティティについて理解する場となるような実質的な形態なのである」と述べました。

二〇〇八年の制定以来これまでのふるさと納税制度実践の結果を踏まえて、利得が得られないように改定されたふるさと納税制度への参加は、さまざまな共同善の構想のひとつとして、地域間の交流を通じて、個人と地域、地方と都市の住民の間の相互理解をうながす、実質的な役割を果たしうる可能性があります。本章の調査結果にもその一端が現れています。

図1-5に示した、ふるさと意識喚起と諸要因の共分散構造分析では、制度における地方側の対応が、利用者のふるさとへの思いを起こす影響関係が確認されていました。自治体・事業者が、寄付の受け入れにともなう地方から各地の住民への働きかけを充実させ双方向のコミュニケーションを促進すれば、利用者のふるさと意識をいっそう喚起することができるはずだと考えます。

ふるさと納税で想定される意義の一つの、返礼品による地域産業の振興効果については本章では検討されていません。自治体、地方事業者は返礼品をきっかけとした産品の市場導入を期待しており、それは公的支援に依存しない事業育成のためにも必要です。

そういった視点で地方事業者が対象とすべきターゲットは誰か。どんな施策を投じれば利用者を地域産品の再購買へと誘導できるか。また制度を機とした、どのような施策が都市住民の「ふるさと意識」をいっそう高められるか。ふるさと納税を有意義な制度とするためにも引き続いて検討します。

(1)因子分析は、多数の変数をまとめ上げて潜在変数に要約する統計処理です。たとえばクラスの生徒のテストの得点に因子分析を適用すれば、潜在的な因子「文系能力」は国語・英語・社会の得点に現れ、数学・理科の得点は「理系能力」の因子にまとめられるなどの分析結果が得られます。これにより、個々の生徒の能力の特長が把握しやすくなります。この因子分析を経ずにクラスター分析を行うこともできますが今回の分析では、区分されたタイプの特徴を分かりやすくするために因子分析からクラスター分析の手順を取っています。

(2) 民主制において投票による政策選択の結果の反省によるフィードバックが有効に機能するためには、成員のあいだで反省を共有して次の選択を議論できる言論の自由が要件になります。また品質の高い議論を保障するには、当面の自党の利害に依らない政党、煽動《せんどう》的ではないジャーナリズム、デマが蔓延しにくいメディア環境、また制度の検証からありうべき選択肢を示す政策研究が必要でしょう。

第二章　地方の味方は誰か――地域産品を選ぶターゲット層

†ターゲットの設定

ふるさと納税や他の販路、チャネルを通じて地域産品の市場導入を目論む事業者・マーケターや、地域の産業の振興をはかりたい地方自治体は、どのような消費者を狙ってアプローチしていけばよいのか。どういった消費者が地域産品を買ってくれる可能性が高いか。

前章ではふるさと納税の返礼品が地域産品の市場導入のきっかけになると述べました。また、ふるさと納税の利用者を区分し特性を把握しています。しかし地域産品のマーケティングで狙うべき消費者がどういう人たちなのかは明らかになっていません。

商品のマーケティング施策を考える際に、いちばん初めに取り組むべきなのはターゲットの設定です。消費者のなかには地方から届けられる産品を積極的に選ぶ層とそうではない層の存在が想定されて前者のほうの、いわば〝地方の味方〟がターゲットになります。そこで意識・行動調査を実施して地域産品を選ぶ傾向の強い消費者層を特定し、その人たちがどういう人たちなのか特徴を把握していきます。また地域産品への志向は、消費者のどんな気持ちに支えられているかを分析します。

†地域産品を積極的に選ぶ消費者層

消費者を区分し、特定の層を狙ってその特性に合わせた施策を設計するのはマーケティング計画の第一歩です。しかし地域産品を販売する地方の事業者は、ナショナルブランドの大企業、プライベートブランドを展開する流通企業と比べて人材やノウハウも潤沢とはいえず、マーケティング計画の段階から後れを取ってしまいます。商品を買ってくれそうな消費者が分からないまま、不特定多数に向けて商品を売り込むのであれば、地域産品の事業成長はおぼつきません。

そこで地域産品の全般を積極的に選択する消費者層が存在して、その特徴があらかじめ分かるとすればどうでしょう。地域産品を売る地方のマーケターは、その層をターゲットとした商品を開発し、効率的にマーケティング施策を投入して、ナショナルブランドとの差をひとつ詰められる、地域産品の市場での拡大に一歩近づけます。

一般的には、それぞれの商品についてターゲットが設定されますが、地域産品の全般を選ぶ傾向がある消費者層というのは想定できるでしょうか。これについては近年に注目されている倫理的消費、エシカル消費の例が役立ちます。

倫理的消費の研究では、自然環境の維持に貢献しようとする倫理的な動機をもって環境対応商品を選ぶ消費者、国内外の生産者に適切な分配がなされるフェアトレード商品を選択する志向を持つ消費者などが層として把握されています。環境志向の高い消費者たちは、環境対応商品の全般に関心をもって、優先して選択しています。環境消費志向のある層を対象としたマーケティング活動はすでに実践され、対応する商品ブランドは市場で一定の位置を占めています。

たとえば良品計画の「無印良品」は繊維製品のリサイクル活動も行っており、海洋汚染の原因となるプラスチック製買い物袋を減らすために紙袋化やエコバッグ化を進めています。環境消費志向のある消費者にとって、こういった取組みは同ブランドの魅力となっています。

これらを踏まえると環境志向と同様に、地方を支援したいという倫理的、社会的な動機をもって地域産品を選ぶ層、「地方支援消費志向」が高い消費者層が存在すると考えるのは無理な想定ではありません。

実際に東京有楽町の交通会館の各地のアンテナショップは回遊する来店客が絶えず、各地の特産品を集めた日本百貨店や平翠軒などのセレクトショップも賑わいを見せています。これらの店舗を訪れるような消費者は、特定の地方ではなく地方の全般を応援したいと思っており、地域産品の一般に関心があるとも捉えられます。

環境に配慮する消費行動・意識については膨大な研究があり、フェアトレードについても倫理的消費研究の一環として消費者特性の把握がなされています。しかし、地方を支援する消費行動や意識を対象とした調査は管見の限りみられません。

地域産品が狙うべき〝地方の味方〟を知ることは、地方事業者のマーケティング開発に役立ちます。「地方支援消費志向」の高い層、地域産品全般のターゲットとなる消費者は、どういう人たちか。またなぜそういう消費行動をとるのか、調査を実施して検討していくこととします。

1　どのような視点で地方の味方を把握するか

地域産品のターゲットを特定したいという問題意識には、マーケティングの各研究分野も示唆を与えてくれます。そのうちいくつかを確認していきましょう。

†地域共同体再生の夢

地域産品のマーケティングについては「地域ブランド研究」の蓄積があります。日本の代表的なマーケティング研究者の一人である田村正紀《まさのり》氏は地域ブランド研究を手掛け、地域産品の地域ブランド化は、地域の事業者・マーケター側と消費者の側のそれぞれの思いが相互に重なり合い合致して「特異な顧客関係性」をつくる過程であると述べました（図2-1）。

図2-1　地域ブランド化の過程［田村，2011を改変］

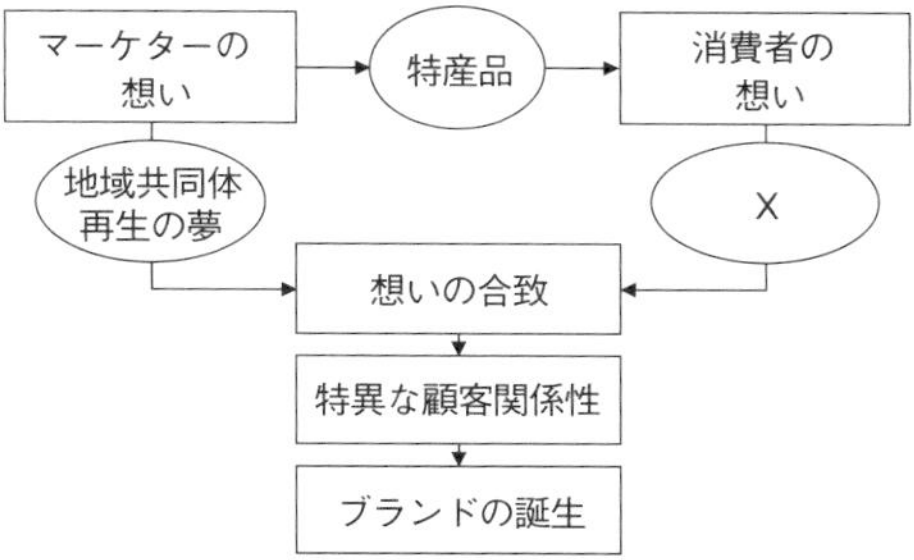

地域産品を売る地方のマーケターの意思には、端的には事業収益とそれを通じた地域の振興という狙いがある。さらに地域振興への思いの背景には、「相互依存のネットワーク」であり「地域全体で一つの共同意識を持つ地域共同体」を再生しようとする「夢」があると田村氏は指摘します。その考察では触れられていませんが、もう一方の消費者の側にも、商品自体の受容・消費にとどま

らない、地方・地域産品に対する思いがあるとも考えられます。地域産品を購入する消費者にどんな思いがあるのかを検討するのも本章の目的です。

†商品の選択に先立つ意識

マーケティング研究のうち「消費者行動論」は、一九六〇年代にアメリカで始まった消費者の商品購入や消費にかかわる行動、心理に関する研究です。マーケティングのいわば基礎理論となる研究分野と言えるでしょう。

消費者行動論では消費者の商品選択行動と、そこに関連する要因を図2-2のような包括的なモデルで把握します。一般にマーケティング研究は多様な学問分野を動員しますが、このモデルも経済学・心理学・社会学・社会心理学など各研究分野の成果を集めて構成されています。

この「BMEモデル」の図式で中心となるのは商品購買意思決定のプロセスで、欲求認識から廃棄までの七段階で把握されています。商品を選択・購買・消費するこの過程に関係するのが、図の左に配置された記憶に蓄積される情報処理プロセス、および右側にある外的・内的な影響要因群です。

消費者側の属性で、社会階層などデモグラフィックな変数である「外的影響要因」と、

図2－2 BMEモデル［青木，2012を一部改変］

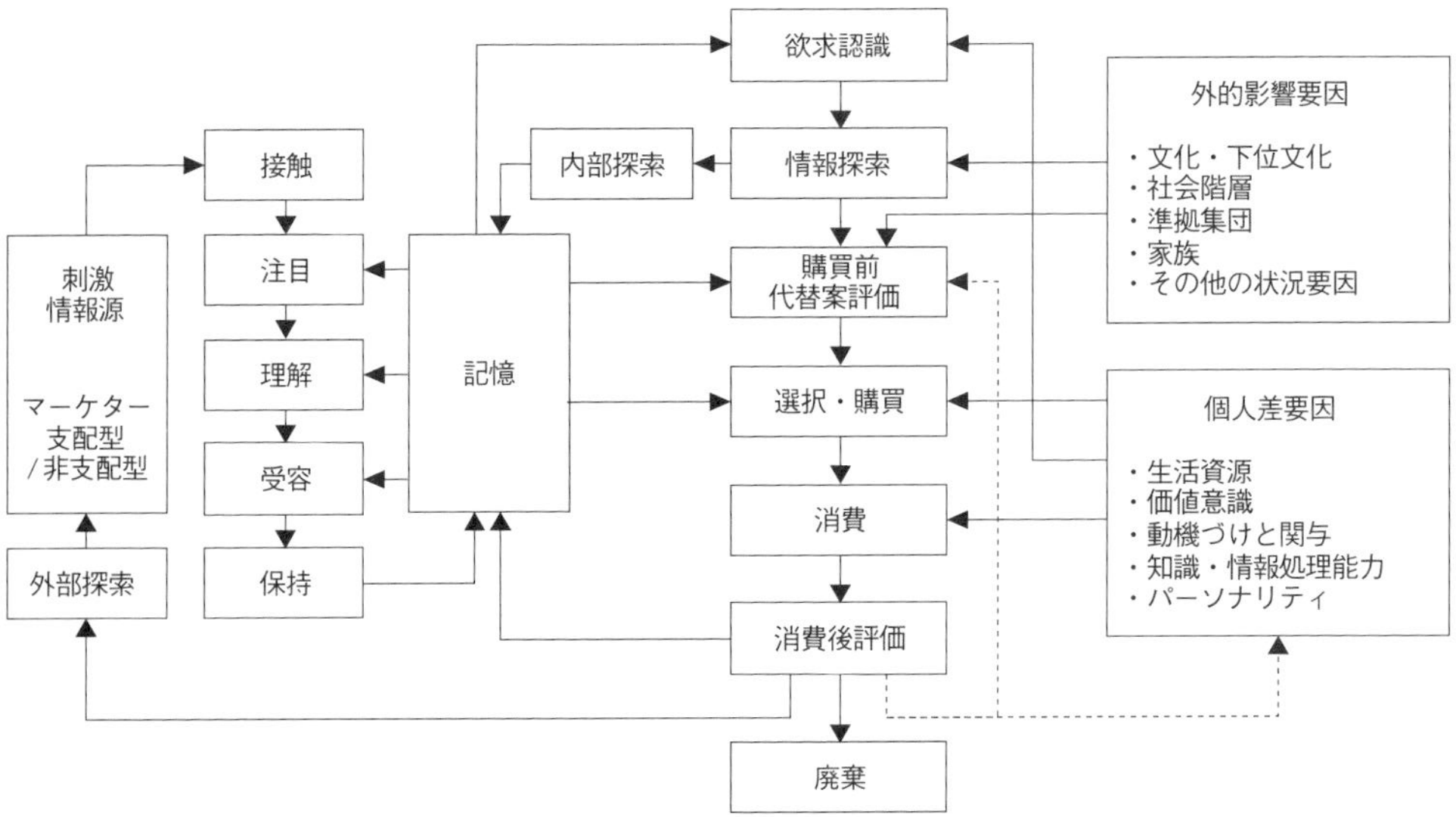

パーソナリティや倫理観、価値観などのサイコグラフィックな「個人差要因」の二つがあります。二つの要因群は購買意思決定に先立って存在して、購買プロセスに影響を与えます。

同じニーズのある消費者に対して、マーケティング活動による刺激・記憶を等しく提供しても同一の商品選択になりません。同じくノドが渇いた消費者のうち、ある人はスーパーで麦茶の紙パックを買う、ある人は自動販売機でポカリスエットを選ぶ。また別の人は、ホテルのラウンジでアイスティを飲む。

こういった商品選択の違いには、それぞれの消費者の外的・内的な要因、所得や階層、価値意識やパーソナリティが影響しています。この点から実用を旨とするマーケティング研究としては、特にサイコグラフィックな個人差要因について、消費者のタイプをあらかじめ区分して、その特徴を把握しておきたいという問題意識が起きます。

†ライフスタイル分析とペルソナ

この課題に応える「消費者ライフスタイル・クラスター分析」研究の代表は米スタンフォード大学のVALSです。この場合のクラスター分析とは、消費者を複数の〝かたまり〟、集団に区分する統計学的手法です。VALSは社会階層論を源流に、欲求階層論、性格類型論などをベースに開発されたもので、一〇〇〇を超える意識・価値観・行動の質問回答データをつかってクラスター分析を行い、消費者を九つのライフスタイルに区分します。

VALSの消費者ライフスタイル分析は商品・カテゴリーを問わない、消費行動への一般的な適用を目論んだものでした。汎用的な消費者ライフスタイル分析は一九八〇年代に隆盛して日本にも導入、利用されていましたが、その後はアイデンティティの一貫性を批判するポストモダン論からの疑念もあってか、現在では活発な利用はなされていません。実務的には、個々の商品カテゴリーごとに、関連する意識・行動データを取得してその都度に消費者クラスターを開発したほうが商品選択行動との適合性が高い、使いやすいという事情が、汎用ライフスタイル分析の衰退を招いたものと考えられます。

ただ、価値観などによって商品を購入しそうなタイプを特定して特徴を把握したいという問題意識は今も失われていません。特定の商品ブランドや商品カテゴリーのターゲットとなる消費者クラスターの特性を、架空のユーザーの個人像に描き出すのが「ペルソナマーケティング」の手法です。

たとえば化粧品ブランドのターゲットを一人のフィクションの人格、〝土浦市の郊外に住んで二人の子を持つ三五歳の主婦〟に設定します。必要に応じてアンケートなどの定量分析に加えて、文化人類学由来の観察・インタビューによる調査であるエスノグラフィーも利用して、架空の人物像の細かな消費行動の設定や性格付けを行います。

この人物像は商品とコミュニケーションを計画する際に、ターゲットのイメージを組織的に共有しながら開発する際に有用であり、ペルソナ分析は消費者クラスター分析とともに近年のデジタルマーケティングでも盛んに利用されています。後節ではその例を示します。

2　地域産品のターゲットを分析する

†都市の消費者と地方の産品

マーケティングの諸研究を踏まえて、つぎのように分析方針を設定します。地方を支援したいという消費者の倫理的・社会的な価値観は、消費者行動論のモデルのうち「個人差要因」に位置づけられます。個人差要因である地方支援消費志向は購買意識決定プロセスに先立って存在して、消費者の商品の選択に影響すると考えられます。そこで地域産品の選択に影響すると想定される価値意識について調査します。得られたデータにクラスター分析を適用すれば、地域産品を積極的に選ぶような、または地域産品を選ばない消費者のタイプ区分とその特性が把握できることになります。

地域産品を消費する消費者の代表として、全国世帯の三〇%を占める大消費地である一都三県の二〇－六〇代男女の九〇九〇人への調査を実施します。対象に偏りがないよう、国勢調査の五歳刻みの性年齢層構成に比例してサンプルを配分しています。

図2-3　四つの意識特性と属性

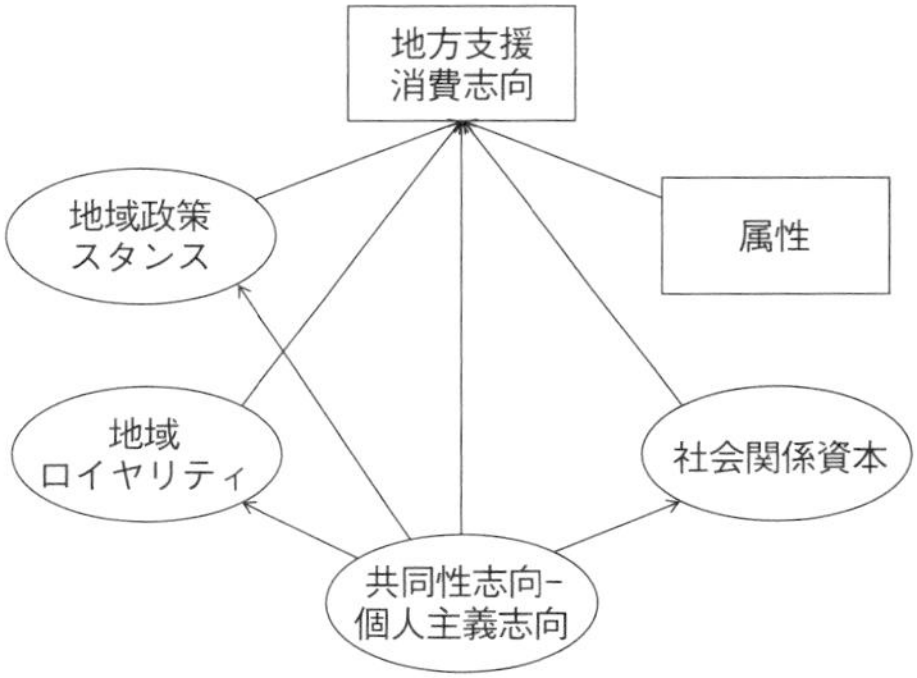

それではサンプルとなった人たちに何を聞くか。地方を支援する消費行動は、まずは地方がどうあって欲しいかという消費者の社会的な意識、地域政策へのスタンスが影響すると考えられます。地域政策スタンスの他に、ターゲット層の意識を捉える計四つの意識特性と個人属性について把握して、地方支援消費志向との関係を探っていきます（図2-3）。

†地域産品選択に影響する要因

調査項目の詳細、設問文は第二章末の附表に示しました。「地域政策スタンス」は一一個の項目を設定します。設問では、直接的に地方を支援する政策の支持と、地域の自立による活性化への支持の相反を想定しています。前者は「東京など都市は財政的に地方を支えるべきだ」など、後者は「地方への政府の支援はむしろ地方の活力を失わせる」などの項目で消費者の態度を把握します。

政府による地方への支援を支持する層は地方に同情的で、地域産品を積極的に選択しているかもしれません。また一方で、公的な支援によらない自律的な地方活性化を主張する人たちのほうが、市民の主体的な参加による地方支援行動の実践をともなうとも想定できます。いずれが事実に近いかは調査結果に現れます。

またターゲットの意識を測定する特性のひとつとして「共同性志向－個人主義志向」の傾向を聴取する設問を設定しました。これは個人の倫理観、人格のタイプを基本的に理解するうえで重要であると考えられ、地方を支援する態度とのかかわり、他の意識特性との関係も予想されます。

「社会関係資本」は社会学・経営学などで、社会における人と人のネットワーク、信頼関係などのありようを示す概念です。社会の人間関係の豊かさを把握するものですが、個人としては人づきあいのスタイルを把握できる概念でもあります。人づきあいのタイプの違いが地方を支える消費の志向に関連するかを確認します。

個人が持つ所属集団に対する〝われわれ意識〟、we-feelingはコミュニティ感情の中心であり、社会を支える基盤となる意識です。ここでは現居住地と国家の、それぞれの範囲に対して貢献したい気持ちの強さ、［地域ロイヤリティ］を把握します。

個人属性では性・年齢層のほかに、出身地・世帯所得・学歴を聞きます。地方出身者は地方一般に対して同情的か、消費生活に余裕がある高所得者層は地方を支援するか、高学歴層は消費行動で地方を応援するか。その傾向を把握します。

これら四つの意識特性と個人属性からの影響を想定する［地方支援消費志向］の二つの項目、「地方を応援する目的で、できるだけ地方の産品を選ぶ」「地方を応援する目的で、観光などで地方を訪問する」について、「とても当てはまる」から「まったく当てはまらない」の六段階で聞いています。これら複数の視点から消費者のタイプの特性、地域産品を積極的に選択するターゲット像を析出していくこととします。

†「地方自立層」と「地方援助層」

［地域政策スタンス］の項目を使って因子分析を行い、地方に対する消費者の政策的な態度の全体像を概観します。地域政策スタンスで設定した項目のうち、「地方はもっと活性化したほうがよい」は全体で賛成側が九三％を占めるため分析から除外しました。この集

表2-1 地域政策スタンスの因子分析

変数	地方自立因子	地方援助因子
政府支援の逆機能	0.752	0.062
交付金の抑制	0.694	−0.008
地方公共事業抑制	0.664	−0.107
地方優遇の過剰	0.636	−0.133
地方の財政的自立促進	0.548	0.124
地域間所得格差懸念	0.061	0.715
都市による財政支援	−0.074	0.643
地方人口維持	0.053	0.624
地方の都市繁栄への貢献	0.076	0.602
政府の地方振興予算拡大	−0.317	0.578

計上の操作は、誰もが賛成する命題は人を区分する際に役に立たないことからなされています。総論としての地方の活性化には、ほとんどの人が賛成しているなかで、地域に関する政策の評価や支援の実践などにおいて、どのような立場、意見の違いが現れるかを確認しなければなりません。

因子分析の結果では、二つの因子が得られました。「地方への政府の支援はむしろ地方の活力を失わせる」「地方交付税交付金を減らすべき」などに特徴づけられる第一因子を「地方自立因子」としました。もう一つの「地方と都市の所得格差は解消するべきだ」「都市は財政的に地方を支えるべき」などの第二因子を「地方援助因子」と名付けました。二つの因子の相関係数はマイナス〇・六〇とやや強い負の相関を示しており、地方自立因子と地方援助因子は、政策的な立場が相反する態度であるといえます（表2-1）。

次いで二つの因子の得点を用いたクラスター分析で都市住民を四つのかたまり、地域に対する考え方のタイプに区分して、図2-4にそのポジションとボリュームを示しました。地方自立因子が高く地方援助因子が低い「地方自立層」と名付けたタイプが全体の六・七%を占めています。その点対称の位置に地方援助因子が高い二二・八%の、いわば「地方援助層」があります。

図2-4　地域政策スタンスのタイプとポジション

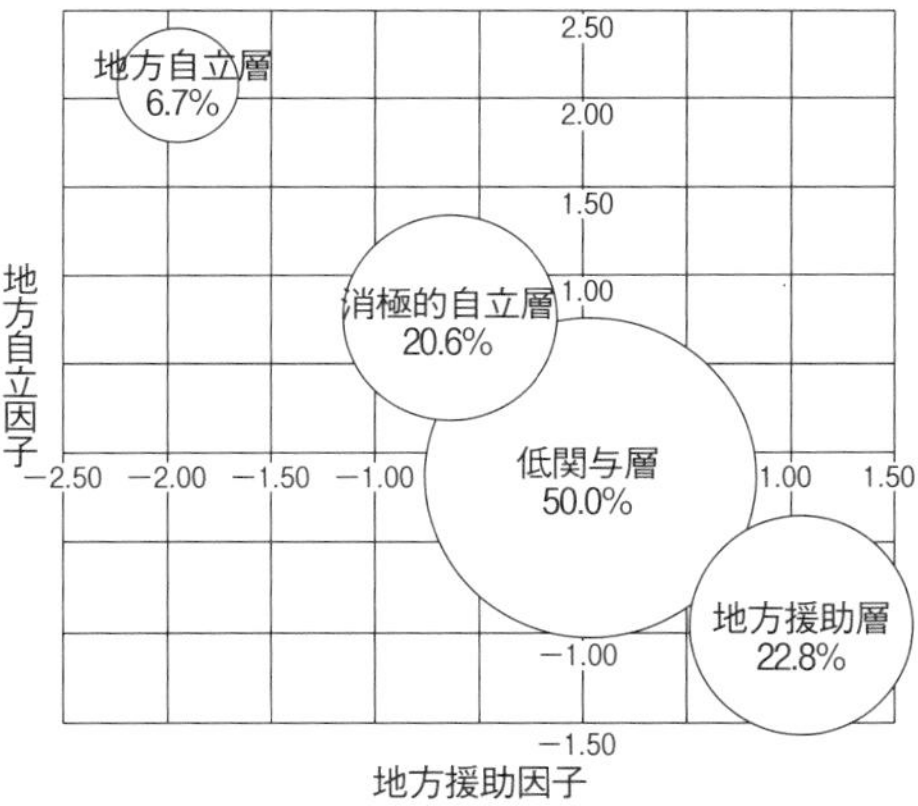

中心近くにはいずれの方向にも顕著な特徴を持たない「低関与層」が五〇・〇%、その左上の自立方面寄りに「消極的自立層」が二〇・六%を占めています。ここでは両極にある二つのタイプ、地方自立層と地方援助層を中心に分析します。

得られた四つのタイプの基本的な属性を表2-2で示します。年齢層はタイプによる決定的な違いは見られませんでした。地方自立層の世帯所得は調査対象平均の六五〇万円と比して一〇〇万円以上も多い七六〇万

表2－2　各層の基本属性

	全体	地方自立層	地方援助層	消極的自立層	低関与層
		6.7%	22.8%	20.6%	50.0%
年齢（歳）	*47.7*	*50.1*	*47.3*	*47.9*	*47.4*
世帯所得指数（万円）	*650*	*760*	*636*	*678*	*631*
地方出身	35.3	−3.4	**+7.0**	**−7.4**	+0.4
最終学歴（大卒・院卒）	53.1	**+19.1**	−1.4	+2.0	−2.7
性比（男性）	49.8	**+15.4**	+4.0	+1.8	−4.6
職業（事務系会社員・経営自営）	26.4	**+11.1**	−2.4	+4.0	−2.0
新聞閲読	26.5	**+12.5**	**+4.6**	−3.2	−2.4
テレビニュース視聴	56.8	+3.5	**+9.6**	**−8.1**	−1.4
ネットニュース接触	62.3	+10.7	**+9.2**	**−8.0**	−2.3
SNS 利用	21.2	−2.7	**+6.0**	−3.5	−1.0

符号付き数字は「とても当てはまる」＋「やや」の構成比の全体と各層の差
太字：χ 2検定のｐ値＜0.1%

円になっており、地方自立層はお金持ちです。

地方援助層は一都三県以外の地域で育った地方出身者率が、四二・三％と高い傾向があります。またテレビ・ネットのニュース、ＳＮＳなど情報収集行動も活発である点が特徴です。次にこれらの属性を持った各層の意識・行動の特性を確認します。

†地方自立層は地方産品に消極的

どのタイプが地方の商品を積極的に選んでいるか、各タイプの地方支援消費志向を図2-5に示します。地方援助層は地域支援消費志向が、他層より顕著に高く現れました。「地方を応援する目的で、で

図2-5 各層の地方支援消費志向

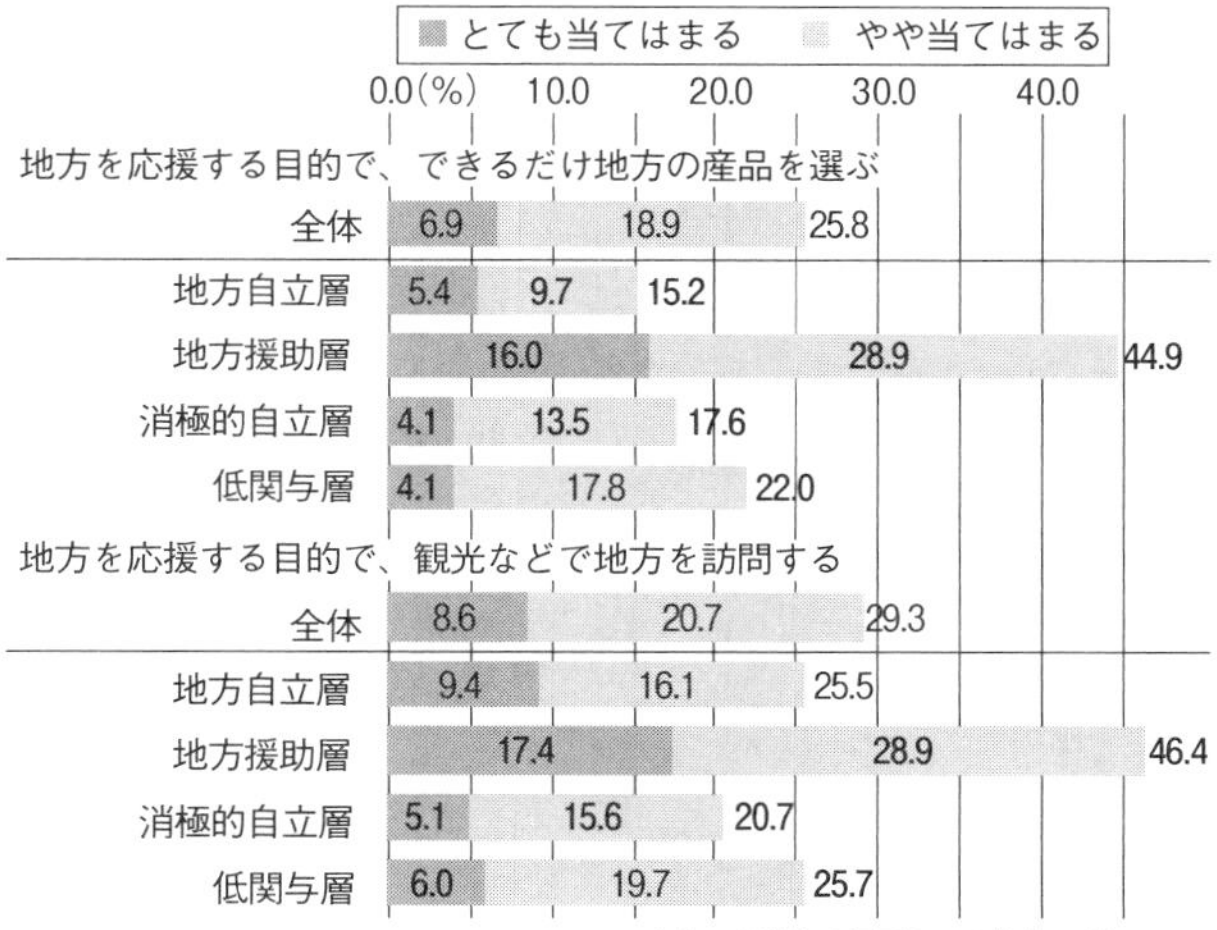

太字：全体との各層の$\chi 2$検定 p値<0.1%

きるだけ地方の産品を選ぶ」の「とても当てはまる」の比が地方自立層の五・四％に対して、地方援助層は一六・〇％と約三倍です。「やや当てはまる」までの厚みでも他層に抜きんでて高いスコアを示しています。支援目的の観光訪問についても同様の傾向が現れました。

　反対側の地方自立層は、消極的自立層とともに「できるだけ地方の産品を選ぶ」のスコアは平均と比して有意に低く、地域産品を主体的に選択する行動をとる傾向は見られませんでした。都市住民のうち、地方の自立を求めるタイプの人たちは、地方の商品だからといって特段に買ってくれるわけでは

表2-3　各層の地域政策スタンス

	全体	地方自立層	地方援助層	消極的自立層	低関与層
		6.7%	22.8%	20.6%	50.0%
地方人口維持	52.1	**−32.0**	**+34.3**	**−20.2**	−3.0
地域間所得格差懸念	43.5	**−34.3**	**+39.9**	**−23.3**	**−4.1**
都市繁栄への地方の貢献	30.8	**−22.6**	**+35.1**	−15.1	**−6.8**
地方振興予算拡大	39.7	**−39.5**	**+51.1**	−32.3	−4.7
都市による財政支援	33.5	−31.2	**+44.2**	−22.6	−6.7
地方公共事業抑制	13.8	**+67.9**	**−12.1**	**+12.6**	**−8.8**
政府支援の逆機能	13.1	**+61.5**	**−9.0**	**+9.3**	**−8.0**
地方の過剰優遇	8.6	**+62.6**	**−8.1**	**+6.3**	−7.2
交付金の抑制	13.3	**+63.1**	**−9.1**	**+7.5**	−7.4
地方の財政的自立促進	29.7	**+54.0**	−3.3	**+7.7**	−9.0

符号付き数字は「とても当てはまる」+「やや」の構成比の全体と各層の差
太字：χ２検定のｐ値<0.1%

ありません。

この結果から、地方を支援する動機をもって地域産品を積極的に選択する傾向が強い消費者のタイプ、〝地方の味方〟は地方援助層であることが分かりました。

都市住民のタイプを区分した地域政策スタンスの違いを表2-3で確認します。全体の二割強を占める地方援助層は「地方振興にもっと予算を割くべき」が九〇・八％、「都市は財政的に地方を支えるべき」が同七七・七％など、地方援助への傾斜がはっきりと現れています。逆に「地方への公共事業投資は抑制するべきだ」は一・七％であり、全体平均一三・八％と著しく大きな差があります。

地方自立層は地方支援消費志向が低い

のですが、地方に無関心なわけではありません。「地方への公共事業投資は抑制するべき」で八一・七%、「地方交付税交付金を減らすべき」は七六・四%、「地方は優遇され過ぎている」七一・二%など、地方に関する強い問題意識を持っています。

†個人主義志向が強い地方自立層

各タイプの共同性志向–個人主義志向の特性は、表2-4で確認できます。地方自立層は「自分の信念にもとづいて生きている」五九・三%、「競争がなければよい社会はできない」五六・〇%など個人主義への強い志向を示しています。同層の共同性志向は全般に低く、「困っている人は皆で助け合っている」などが全体平均よりもマイナスのスコアを示しています。地域政策スタンスにも表れていますが地方自立層は、個人としても自立自助の性格をもつといえます。

一方の地方援助層では、四〇・二%が「周りの人が幸せでなければ自分は幸せになれない」と考え、三七・八%が「困っている人は皆で助け合っている」という、利他的・相互扶助的な共同性への志向がはっきりと現れています。同時に、地方自立層ほどではありませんが「自分の信念にもとづいて生きている」などの個人主義志向でも有意にプラスのスコアになっています。

表2－4　各層の共同性志向－個人主義志向

	全体	地方自立層 6.7%	地方援助層 22.8%	消極的自立層 20.6%	低関与層 50.0%
周囲の幸福が自分の幸福	26.5	−5.7	**＋13.7**	**−7.0**	−2.5
困った人は皆で助け合う	24.3	−6.0	**＋13.5**	**−7.8**	−2.1
周りとの調和を重視	22.2	−4.6	**＋10.9**	**−6.2**	−1.8
世の中に役立つ生き方	12.0	−1.1	**＋6.3**	−1.7	−2.0
人とのつながり重視	26.5	−5.6	**＋12.0**	**−8.4**	−1.2
自分の信念重視	34.9	**＋24.4**	**＋11.3**	−4.5	**−6.6**
周りと反対でも主張	24.9	**＋22.1**	**＋9.5**	−3.5	**−5.9**
指示に従うのは嫌い	33.1	**＋24.7**	**＋8.9**	−2.1	**−6.5**
競争でよい社会	30.6	**＋25.4**	**＋6.1**	−1.4	**−5.7**
まず自分が幸せに	29.5	**＋23.2**	**＋5.5**	−0.9	**−5.2**

符号付き数字は「とても当てはまる」＋「やや」の構成比の全体と各層の差
太字：χ 2検定のp値＜0.1%

地方援助層は全体の二割とそれなりのボリュームを占めるとはいえ、地方自立層とともに地域政策に高い関与があって明確な立場を持つ層です。それだけに、「周りと違っても自分の意見は主張」するなど個人主義的な自己主張を行う傾向があると捉えられます。また共同性志向－個人主義志向の二つの因子間の相関を見たところ、相関係数は〇・〇三と正負の関係がほぼ見られませんでした。今回の二つの因子はすなわち相反するものではなく、地方援助層は共同性を志向しながら同時に個人主義の性格を併せ持っているといえます。

†社会関係資本と地域ロイヤリティの特性

表2－5　各層の社会関係資本・地域ロイヤリティ

	全体	地方自立層 6.7%	地方援助層 22.8%	消極的自立層 20.6%	低関与層 50.0%
近所の人を信頼	16.0	−2.5	**+6.0**	−3.5	−0.9
災害時に近所の支援	13.2	−2.7	**+5.0**	−2.5	−1.0
近所と面識・交流	16.3	−0.3	**+4.7**	−1.4	−1.6
近所に信頼する友人	22.8	−2.2	**+5.1**	−2.9	−0.8
趣味などでの友人	29.8	**+3.0**	**+7.1**	**−5.2**	−1.4
遠隔地の友人	43.7	+4.2	**+9.7**	**−8.4**	−1.5
職場・学校での友人	29.1	−0.4	**+7.0**	**−5.9**	−0.7
自分に損でも国に貢献	9.6	+1.1	**+4.9**	−1.5	−1.7
自分に損でも住む地域に貢献	8.2	+1.7	**+4.1**	−1.0	−1.7
現在居住地居住意向	39.9	**+13.8**	**+4.2**	−4.2	−2.0

符号付き数字は「とても当てはまる」+「やや」の構成比の全体と各層の差
太字：χ 2検定のｐ値<0.1%

社会関係資本と地域ロイヤリティ関連の項目におけるタイプ間の特性を表2-5で確認します。社会関係資本の項目は二つに区分されます。「近所の人を信頼している」など地理的に近い関係の人づきあいを示す「近接型社会関係資本」と、「趣味や社会活動で知り合った友人知人がいる」など距離にかかわりのない人づきあいを示す「橋渡し型社会関係資本」の二区分です。

個人主義的傾向の強い地方自立層は、近接型社会関係資本の項目がやや低めです。ここでは消極的自立層が、橋渡し型を中心に社会関係資本の多くの項目で顕著に低いスコアを示しています。消極的自立層は人づきあいの全般で積極的ではないといえます。

地方援助層は、社会関係資本関連で取得した七個の項目のすべてで有意に高いスコアを示しました。同タイプは居住地域の直接接触的な人間関係だけでなく、趣味関係・遠距離でも友人がいて、いっそう豊富な社会関係資本を持っています。地方援助層の人づきあいは活発、積極的です。

地域ロイヤリティ関連で設定した「自分が損になっても、自分の国に貢献したい」など三つの項目では、地方援助層で「自分に損になっても」国・地域へ貢献したいという強い意向が現れました。地方援助層は、地域へのロイヤリティが高い傾向があります。

地方自立層は国・地域に貢献したい気持ちは強くない一方、「いま住んでいる地域」つまり一都三県の地域に継続して住み続けたいという意向が顕著に高くなっています。

3　地域産品を買ってもらうために

地方を支援する行動を各タイプが実践しているかどうか、地域支援行動関連の特徴を表2-6では把握します。表の上から二つの項目は図2-5で示したデータです。

表2-6 各層の地方支援行動

	全体	地方自立層 6.7%	地方援助層 22.8%	消極的自立層 20.6%	低関与層 50.0%
地方支援目的の商品購買（再	25.8	**−10.6**	**+19.1**	**−8.2**	**−3.8**
地方支援目的の観光訪問（再	29.3	−3.8	**+17.1**	**−8.6**	**−3.6**
被災地支援観光	28.4	−4.3	**+14.8**	**−8.6**	−2.6
ふるさと納税意向：返礼品目的	27.0	+7.1	**+7.8**	**−4.9**	−2.5
ふるさと納税意向：地方支援目的	23.5	**−8.5**	**+14.8**	**−8.5**	−2.0
ふるさと納税実践（はい／いいえ）	12.5	**+6.1**	−1.2	+0.4	−0.4
被災地等ボランティア実践	3.9	+0.1	+1.3	+0.9	−1.0
被災地募金実践	12.6	−1.1	**+7.2**	−1.9	**−2.3**
地方移住希望	14.8	−5.9	**+11.0**	**−4.6**	**−2.4**

符号付き数字は「とても当てはまる」+「やや」の構成比の全体と各層の差
太字：χ2検定のp値<0.1%

†地域産品を選ぶタイプと選ばないタイプ

地方援助層は、被災地支援の観光、募金の実践でも高いポイントを示します。地方援助層はその政治的スタンスに現れた志向を、行動に移す傾向が強いといえます。ふるさと納税について同層は「返礼品がお得なので」実施したいと同時に「地方を支援する目的で」の利用意向も高いスコアです。ただふるさと納税の実践率は平均並みとなっています。

地方自立層は地方支援を目的としたふるさと納税の利用意向は低いのですが、ふるさと納税の利用者は地方援助層で一一・三%であるのに比して、地方自立層では有意に高い一八・六%の利用率を示しています。

表2－7　地方援助層と地方自立層の特徴の比較

	地方自立層 6.7%	地方援助層 22.8%
年齢	やや年齢が高い	平均並み
性比	男性比が顕著に高い	男性比がやや高い
所得	顕著に高い	やや少ない
出身	平均並み	地方出身者が多い
職業	ホワイトカラーが 顕著に多い	平均並み
最終学歴	学歴が顕著に高い	平均並み
情報収集	新聞をよく読む ネットニュースも	TV・ネットニュース SNS も
地方支援 消費志向	顕著に低い	顕著に高い
地方援助志向	顕著に低い	顕著に高い
地方自立志向	顕著に高い	低い
共同性志向 個人主義志向	個人主義志向が 顕著に高い	共同性志向・個人主義 志向ともに高い
社会関係資本	橋渡し SC 高め	近接 SC・橋渡し SC ともに顕著に高い
地域 ロイヤリティ	一都三県継続居住 意向が顕著に高い	国・居住地域への 貢献意向が高い
ふるさと納税	地方支援目的の意向は 低いが実践で高い	利用意向が高く、 実践は平均並み
その他 地域支援行動	地方移住意向が低い	被災地募金の実践、 地方移住意向が高い

消費者一般のなかで区分された地方自立層は第一章で見たふるさと納税の利用者のうち、地方の支援に関心のない「利得志向層」(表1-5)として、経済合理的に制度を利用していると考えられます。

ここまでで確認してきた特性を表2-7に整理しました。地方支援消費志向が高い、地方を支援する動機をもって地域産品を積極的に選択する層、「地方援助層」の特徴が地方自立層との比較で把握されています。これを参照することで地域産品のマーケターは、ターゲットとすべき層の、人格のタイプを想定しながらマーケティング施策開発を行っていくことができます。

†消費者を動かす共同性志向

これまでの分析で地方支援消費志向の高い、つまり地域産品のターゲットとなりうる地方援助層の諸特性が他層との比較で概観されました。この節ではさらに地方支援消費志向とそれに関連すると思われる諸要因との関係モデルを共分散構造分析で検証します。

これまでの分析では地方支援消費志向には地域政策スタンスがかかわると想定しましたが、さらにその背景には共同性志向があると考えられます。また共同性志向は人づきあいの仕方であるソーシャルキャピタル、われわれ意識の発現である地域ロイヤリティにも影響を与え、それらが地方支援消費志向に影響しそうです。また地方出身の属性は、地方・故郷支援への直接的な動機があると想定してモデルに組み込みました。

分析の結果、モデルの妥当性、当てはまりぐあいを評価する指数は、良好な数字が得られています。地方出身の属性からのパスは有意となりませんでしたが、他の影響関係はすべて有意な数字となりました（図2-6）。

地方支援消費志向に対して、各意識特性から直接に影響する関係では、橋渡し型社会関係資本からが比較的に弱く、共同性志向・地方援助志向・地域ロイヤリティが同レベルで地方支援消費志向に影響を与えていました。

都市住民の「都市は財政的に地方を支えるべき」だとするような地方援助志向の政策スタンスは、直接に地方支援消費志向に結びつく。自分に損になっても国や現居住地域への貢献をしたい地域ロイヤリティは、地域産品への志向につながる。困っている人は皆で助け合うような共同性志向は、地方を支援する倫理的な消費行動の背景要因となる。このような関係が確認できました。

共同性志向からの各意識特性への関係をみると、橋渡し型社会関係資本と地域ロイヤリティに対して強く影響を与えています。人とのつながりを重視する共同性志向が、地理的に近い関係ではなくとも人づきあいする社会関係資本の形成を支えています。また「世の

図2-6 地方支援消費志向と諸要因の関係（標準化推定値）

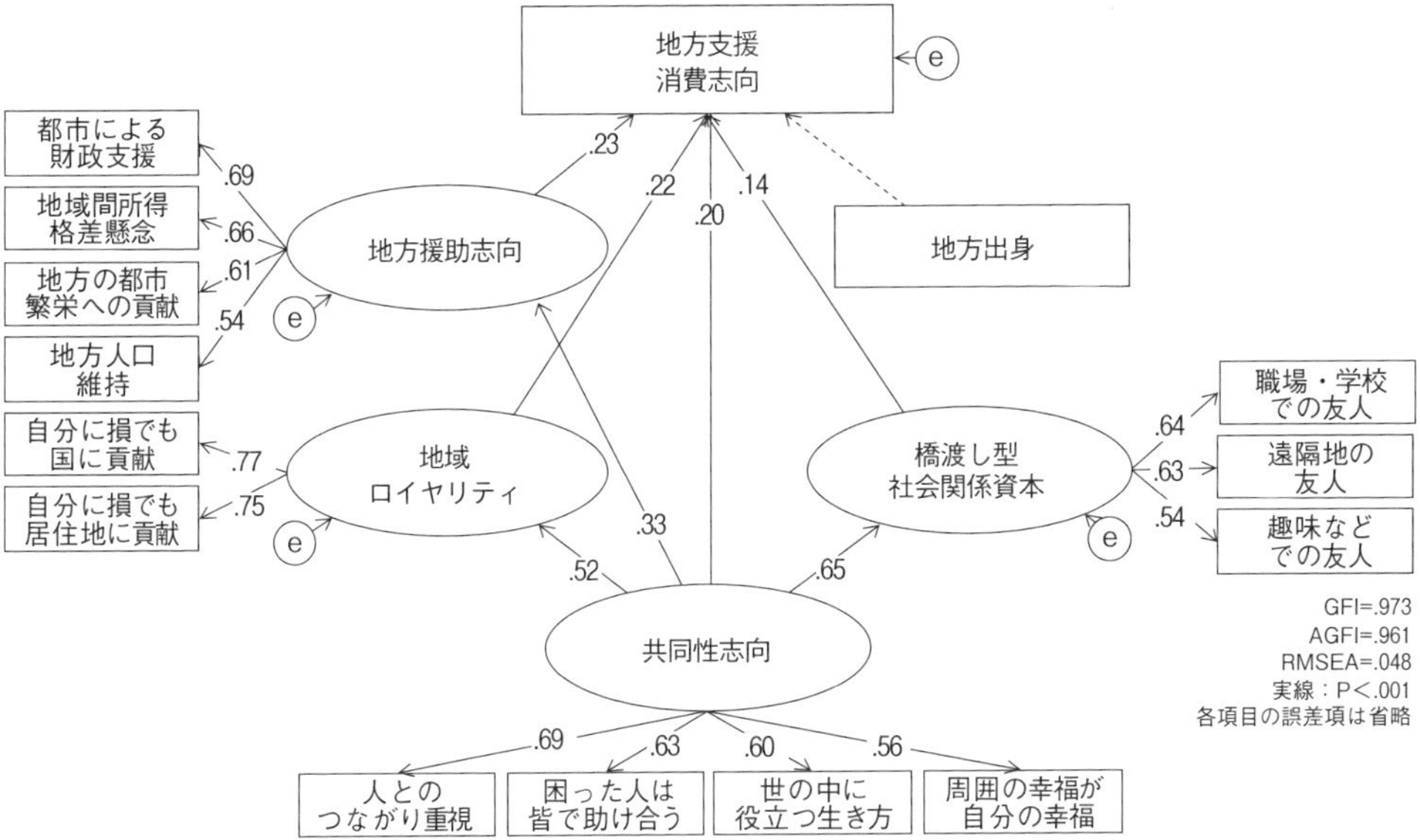
地方支援
消費志向
e
都市による
財政支援
地域間所得
格差懸念
地方の都市
繁栄への貢献
地方人口
維持
.69
.66
.61
.54
地方援助志向
e
.23
.22
.20
.14
地方出身
自分に損でも
国に貢献
自分に損でも
居住地に貢献
.77
.75
地域
ロイヤリティ
e
.33
橋渡し型
社会関係資本
e
職場・学校
での友人
遠隔地の
友人
趣味など
での友人
.64
.63
.54
.52
.65
共同性志向
.69
.63
.60
.56
人との
つながり重視
困った人は
皆で助け合う
世の中に
役立つ生き方
周囲の幸福が
自分の幸福
GFI=.973
AGFI=.961
RMSEA=.048
実線：P<.001
各項目の誤差項は省略

中の役に立つ生き方をしたい」という志向が、居住する地域と国家へのロイヤリティを支えます。それらの意識特性が地域産品への志向にプラスに働いています。

消費者の利他的な共同性への志向は直接に、また他の要因を媒介として、地方支援のための商品選択に影響してあと押しする、共分散構造分析からは、以上のような関係が把握されました

先に見た地域ブランド研究は、地域産品の提供者側に「地域共同体の再生の夢」があると指摘していました（図2-1）。それに対応して地域産品を選ぶ都市住民の側には、相互扶助的な共同性への志向がある。「周りの人が幸せでなければ自分は幸せになれない」のような地域を超えた相互扶助への思いがあります。

†地方の味方ではない人たち

一都三県の都市の住民の多くは総論として「地方はもっと活性化したほうがよい」を支持しました。しかし地方を支援する動機で地域産品を積極的に選択する傾向は、特定の層に偏って現れます。高所得・高学歴のホワイトカラーで、地方への政府支援の逆機能を懸念する、個人主義的な「地方自立層」は、地域産品を主体的に選択する行動には積極的ではありませんでした。

この地方自立層は都市住民のうち、とりわけ高所得層が直接的な自分の利得にもとづいて、税金を原資とする地方交付税交付金の抑制や、地方の財政的自立を進める政策を支持していると解釈できます。ただ、その個人主義志向の強さなどを踏まえれば、利害得失の計算のみで捉えるのは不十分かもしれません。社会経済学者のサミュエル・ボウルズの言う、自分が何者かであろうとする「構成動機」がある、利得を正当化して人格と一致した何らかのイデオロギー的な立場が生じていると理解することもできます。

地方の活性化を望み、同時に「地方への支援はむしろ地方の活力を失わせる」と考える地方自立層のようなタイプの人たちは、ふるさと納税の利用者にも多く含まれていました。しかし、その層は地域産品を積極的に選ばない、〝地方の味方〟ではない人たちです。地域産品のマーケティングでは、いちばん後回しにすることになります。

†地方援助層へのアプローチ

他方で、共同性志向が高く都市から地方への再配分を求める「地方援助層」では地方を支援する動機をもって商品を選択する志向が顕著に現れました。この層は被災地支援の募金も多くの人が実践しています。今回の分析はアンケート調査がもとになっており実際の商品の購入データではありませんが、消費者のなかで相対的に地域産品を積極的に購入するのは地方援助層です。

「地方援助層」は都市住民の約二割を占めており、商品を新たに提案する際のアーリーアダプター[1]と設定するには十分なボリュームがあります。またこの層で情報収集活動が活発である点もアプローチに有利です。地域産品の市場導入を目指すマーケターは、「地方援助層」をまずは主たるターゲットとして検討すべきです。

そのマーケティング施策開発、とりわけパッケージ、ホームページ、広告など表現の開発時に、本章で明らかになった地方援助層の特性と共同性志向を起点とした背景要因の把握が貢献できるでしょう。これらを踏まえて地域産品の販売促進のコミュニケーションを開発する際[2]には、たとえばつぎのような方針が考えられます。

まず地域産品が表現の全体の印象を地域色と人格のないナショナルブランドに近づけることは、多くの場合、得策ではありません。特定の地域から届けられる商品であることを示し、またターゲットの特性である共同性志向を喚起できるよう、提供者側の〝人となり〟が表現できる展開が有効でしょう。広告文案でも無人格なものではなく、主語を事業者とした「わたしたち」などによる語り掛けの形式、ビジュアルでは生産者の顔や産地の風景を要素とすることが検討できます。便益の表現とともに、商品・事業の社会的意義を示す方法も有効です。

メディアでは、地方援助層は社会関係資本が豊富なところから、口コミやＳＮＳの利用による消費者間、消費者と提供者間の双方向コミュニケーションを喚起できるよう留意すべきです。これらはもちろん一般的な留意点であり、個別商品に即して、また競合商品の関係などを踏まえて、マーケティング計画は設計されなければなりません。

†地方の味方のペルソナ

商品やサービスの提供者側で共有すべき顧客の情報や認識を、架空の一人のパーソナリティに具体化したものがペルソナです。ここでは地域商品を積極的に購入してくれるペルソナを開発します。ペルソナを設定する意味は何でしょうか。一般に、誰にでも売れるように考えて作った商品は、誰にも選ばれません。買ってもらうべきターゲットを想定し、その層が望むように商品・マーケティングを設計すれば、売れる可能性が高まります。

ただ商品は一人で作るのではなく社内、社外の複数の担当者が関わります。ターゲットのイメージにズレが起きてしまう。商品を届ける顧客がどういう人なのか、顧客の像がチームで共有できればイメージのズレは避けられます。そこで、ユーザーの典型例を一人の人格に表した「ペルソナシート」を作っておきます。社内の各担当部署や社外の取引先が、同じペルソナを参照してイメージしながら商品・サービス・コミュニケーションを開発すれば、商品が選ばれる可能性が高まります。

ペルソナシートはチームで開発します。企画、営業、製造など各担当者が、それぞれの頭の中にあるお客様像を想像して項目ごとにシートに記述し、持ち寄って集約します。これまでに得られた顧客からの意見、売り場でのやり取りや、ネットのレビュー、クレーム時の対話などが材料になります。開発を機に、身近な消費者に話を聞いてもいいでしょう。もちろんここまで分析してきたようなアンケート調査も役に立ちます。

ペルソナは利用する際にも意義がありますが、各所の担当者がお客様像を想像しながら共同で制作する過程にも大きな意味があります。開発の過程で、お客様像を共有するとともに、お客さまに向き合う姿勢が各担当に喚起される効果が期待できるからです。

ペルソナは平均の数字ではなく、顧客の人格の典型例です。関係する皆にとってペルソナが現実に身近にいる一人の人物のように、いきいきとイメージできることが求められます。そのためパーソナリティの意識と行動は、具体的で一貫性のあるエピソードによって表現されます。またペルソナはそうあって欲しい理想像ではありません。自社の商品に対して、楽観的にも悲観的にもなり過ぎないように作ります。

ペルソナシートに書き出す項目は、性・年齢・居住地・所得階層・家族構成などのデモグラフィック属性から、商品に関わる考え方・暮らし方・買い物の仕方などの意識・行動など、商品にあわせて設定されます。各項目もできるだけエピソードで記述するのが望ましいでしょう。
　項目のなかでもいちばん大切なコア要素は「なぜ他ではなくこの商品を選ぶのか、利用するのか」の記述です。選択・消費の理由記述と、設定した性・年齢を核として、それぞ

地域商品を選ぶ消費者のペルソナ例

「小川奈菜さん」53歳

【プロフィール】共働きの会社員。栃木出身で、メーカーに務める新潟生まれの夫と二人で千葉のマンションに住む。四大卒の娘は就職して地方勤務、結婚が近いようだ。夫と知り合った職場は、出産を機に退職した。のちに派遣で旅行代理店に入り、いまは社員で働く。スマホ、PC は普通に使う。SNS で地元の友人と付合いがある。

【地方への意識】法事などで故郷に戻ると商店街の寂れぐあいに悲しくなる。子供のころ休日に連れて行ってもらった駅前スーパーも閉店した。箱モノやダムは良くないが、地方への国の支援は増やしたほうが良いと思う。

【暮らし・買い物】地方の産品は、珍しいものが多くて楽しいいし、頑張ってほしいから応援する。それに〝売らんかな〟ではなくマジメに作っている分、多少高くともモノがいいし安心できる。百貨店の地方催事は好きで、北海道展には友達と行くし地方のアンテナショップにも寄る。たまにネットや雑誌のお取り寄せも頼んでいる。食料品の買い物はパッケージを見て、値段があまり変わらないなら遺伝子組換えじゃないほう、無添加のほうを選ぶ。近所にある農家直売の店で野菜を買う。売り場の人と仲良くなって畑を見せてもらった。夕食の皿洗いは夫に任せ、9時からのTV ニュースを見ながら980円のワインを飲む。

【地域・地方との付き合い方】小学校中学校と PTA 役員をやって、いまもバザーなどの機会には手伝う。熊本の震災の際には、東北のときと同様に、マンションの人たちと一緒に義援金を集めて送った。ふるさと納税は商品券を配っていることなど、ややうさんくさいが、寄付を役立ててくれる自治体を選ぼうと思う。返礼品として国産ワインをもらった長野県の町には、この前のゴールデンウィークに遊びに行った。

写真：PIXTA

れの項目に展開していきます。ここで示したのは、地域商品のターゲットとなるペルソナシートの例です。本章の意識調査結果と、これまでの地域産品マーケティングの経験でお会いした消費者像などを材料に作成されています。

†地域産品の商品価値の向上へ

経営資源に乏しい地方の事業者は、地方支援消費志向が顕著に高い「小川奈菜」さんのような地方援助層をターゲットとしてアプローチできます。ただし、ターゲットの小川さんは地域産品なら何でも買うわけではありません。地方援助層のパーソナリティにある共同性志向が後押しするとしても、購買決定プロセスにおいて消費者は、商品の価値を想定・評価します。

地域産品のマーケターは、そのハードルを越えられるよう商品自体の価値、ブランドの価値を向上させていかなければなりません。価値を高めて、小川さんのような顧客との「特異な関係性」を形成するための方策は今後の章で検討していきます。

(1)アーリーアダプターは、イノベーター理論で商品の普及段階におけるイノベーターに次いで初期に導入する消費者層を指します。この層の支持を受けた商品・サービスは市場に広く受け入れられると考えられています。

(2)厄介なことにマーケティングのコミュニケーション開発においては差別化、つまり他の商品・他の表現とは異なることも要件であるために、一般的な方針のみで有効な表現開発を行うことはできません。事業者・商品ブランドならではの特異性と、表現制作者のクリエイティブなアイディアが、差別化された固有のコミュニケーションの開発基盤となります。

第2章附表・項目名ー設問文対照

名称	設問
■地域政策スタンス　地方援助志向ー地方自立志向	
地方人口維持	地方の人口は維持されるべきだ
地域間所得格差懸念	地方と都市の所得格差は解消するべきだ
都市繁栄への地方の貢献	都会の繁栄は、地方の貢献で成り立っている
地方振興予算拡大	政府は地方振興にもっと予算を割くべきだ
都市による財政支援	東京など都市は財政的に地方を支えるべきだ
地方公共事業抑制	地方への公共事業投資は抑制するべきだ
政府支援の逆機能	地方への政府の支援はむしろ地方の活力を失わせる
地方の過剰優遇	地方は優遇され過ぎている
交付金の抑制	自治体に配分される地方交付税交付金を減らすべきだ
地方の財政的自立促進	地方は財政的に中央に頼らず自立するべきだ
地方活性化	地方はもっと活性化したほうがよい
■共同性志向ー個人主義志向	
周囲の幸福が自分の幸福	周りの人が幸せでなければ自分は幸せになれない
困った人は皆で助け合う	困っている人は皆で助け合っている
周りとの調和を重視	自分を抑えても周りとの和を大切にしている
世の中に役立つ	自分のことより世の中に役立つ生き方をしたい
人とのつながり重視	人とのつながりを何よりも大切にしている
自分の信念重視	人に左右されず自分の信念にもとづいて生きている
周りと反対でも主張	周りと違っても自分の意見は主張している
指示に従うのは嫌い	人の指示や意見に黙って従うのは嫌いである
競争でよい社会	競争がなければよい社会はできない
まず自分が幸せに	周りよりもまずは自分が幸せになることが第一である
■社会関係資本　近接型ー橋渡し型	
近所の人を信頼	近所に住んでいる人を信頼している
災害時に近所の支援	災害などで困ったとき近所の人が助けてくれると思う
近所と面識・交流	近所に住んでいる多くの人と面識・交流がある
近所に信頼する友人	近所に信頼できる友人・知人がいる
趣味などでの友人	趣味や社会活動で知り合った友人・知人がいる
遠隔地の友人	遠く離れているがたまに会う友人・知人がいる
職場・学校での友人	職場や学校関係の信頼できる友人知人がいる

名称	設問
■地域ロイヤリティ	
国家ロイヤリティ	自分に損になっても、自分の国に貢献したい
現在居住地ロイヤリティ	自分に損になっても、自分がいま住んでいる地域に貢献したい
現在居住地居住意向	自分がいま住んでいる地域に住み続けたい
■地方支援行動	
地方支援目的の商品購買	地方を応援する目的で、できるだけ地方の産品を選ぶ
地方支援目的の観光訪問	地方を応援する目的で、観光などで地方を訪問する
被災地支援観光	被災地を観光などで訪問することで応援する
ふるさと納税・返礼品目的	返礼品がお得なのでふるさと納税をしたい
ふるさと納税・地方支援目的	地方を応援する目的で、ふるさと納税をしたい
ふるさと納税実践 :Yes/No	あなたはふるさと納税を利用しましたか（この一年間）
ボランティア実践	被災地などのボランティアに参加している
地方移住希望	将来は地方に移住したい
被災地募金実践	被災地などへの募金を積極的に行っている
■情報接触	
新聞閲読	新聞をよく読む方だ
ニュースの視聴頻度	テレビのニュースをよく見る方だ
ネットニュースの接触	インターネットの記事やニュースをよく見る方だ
SNS 利用	ツイッターやフェイスブック、インスタなど SNS をよく使う方だ

第三章

地域ブランドの価値を高める——価値向上起点の転回

†ブランディング戦略

「地域ブランド」は地域の活性化を推進する立場からは、とても頼りになる、頼りにしたい存在として大きな願いが寄せられています。地域ブランドの価値が高ければ地域の産品が売れる、観光客が来る、地域のアイデンティティの核になる、投資が誘導できる、商店街が活性化する、移住が促進されるなど、託された役割は多岐にわたります。それだけに総合的な地域振興をはかる主体である自治体は、地域ブランドを形成しようと「ブランディング」の施策を盛んに投入しています。

ここでいうブランディングは直接の商品販売をともなわない、自治体などが行う地域ブランドの認定制度やイメージ形成のためのコンテンツ制作、コミュニケーション活動を指しています。具体的には、ブランドコンセプトやコピー、統一マークの開発、ゆるキャラや地域PR動画の制作などがあげられます。またホームページやポスター、パンフレット、イベント、動画サイトほかの媒体を通じてそれらを広めるコミュニケーション活動など、地域そのものを訴求する活動がブランディングです。

これらの施策によってある程度は認知やイメージ形成の効果が得られるでしょう。とても運が良ければ、すばらしい活躍をする熊本のゆるキャラ、「くまモン」のような大当たりもあるかもしれません。しかし地域ブランドの価値を高めるための活動として、そのようなブランディング活動は本当に効果的でしょうか。

このあと紹介する専門家の議論でも地域のブランディングの根本的な困難が指摘されています。自治体など公的団体を主体としたブランディング活動には予算の限界、継続性の限界があります。地域ブランドを広めるだけの十分な予算もないのに、地域の要請を受けてブランディング活動をやっても望む成果は得られず、自己満足に近い結果に終わるおそれもあります。

ではどうすれば地域ブランドは形成できるのか。本章では地域ブランドの持続的な価値向上のために、だれがどうやって取り組むべきかを、調査とデータ分析を通じて考えていくこととします。

1　地域ブランドの持続的な価値向上は可能か

「地域ブランド」と「地域産品」の基本的な関係を、本書では図3-1のように把握します。たとえば地名の「有田」と、カテゴリー名「有田焼」が地域ブランドで、「柿右衛門」「源右衛門」の陶磁器が地域産品です。商品に付随する属性のほうが地域ブランドで、販売される＝消費者が購入できる商品のほうを地域産品と区分しています。「資生堂」「ＴＯＹＯＴＡ」がブランドで、「エリクシール・リンクルクリーム」「プリウス」が商品という関係と同様です。地域産品は地域商品ブランドという言い方も可能ですが、紛らわしいので商品のほうは地域産品、属性は地域ブランドと使い分けます[1]。

ブランドの基本的な役割のひとつが商品への価値付与です。まだ誰も知らない新商品であっても、それが「資生堂」ブランドの商品であれば品質は確かなものであろう、買っても間違いないだろうと価値が認められます。同様に地域ブランドには、地域の商品に価値を付与する役割が期待されます。芋焼酎、たとえば「薩摩《さつま》白波《しらなみ》」「富乃《とみの》宝山《ほうざん》」は、「薩摩」の産であることで本場の本物であると認識されます。長野で作られるパソコンの「ＶＡＩ

図3-1　地域ブランドと地域産品の関係

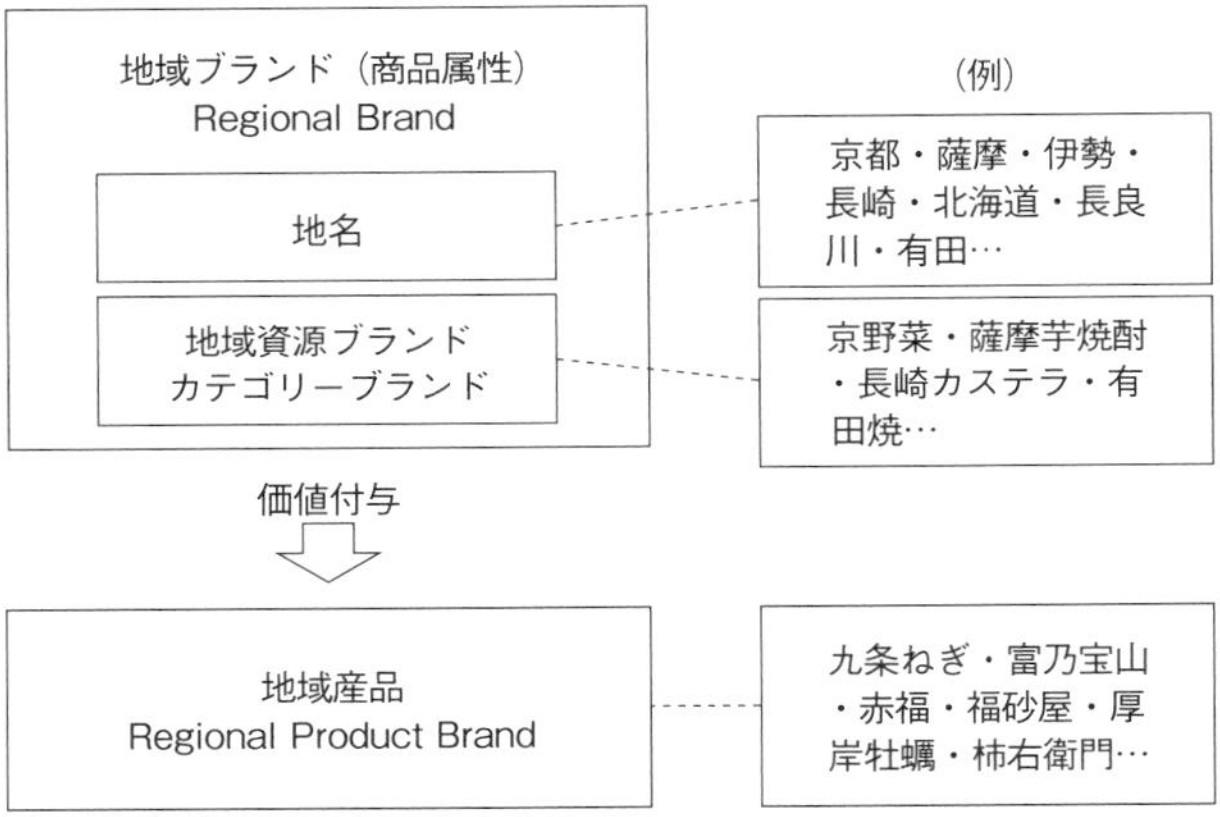

〇」は、「安曇野《あずみの》」製造のハンコが押されて、商品の品質・精度が保証されます。

地域ブランドと地域産品の好循環とは

地域ブランドと産品の関係はどう捉えられてきたのか、二〇〇〇年以降、地域ブランドに関して研究が積み重ねられてきました。そのうち代表的な議論を確認します。ブランド論・消費者行動論の青木幸弘氏のモデルは、地域ブランドを加工品・農産品などの地域の資源ブランドの上に位置する「傘ブランド」として位置付け、資源ブランドと地域ブランドが相互に高め合う構造が示されています。

社会学の村山研一氏は、地域産品から地域ブランドへの「フィードバック関係」に言及しながらも、先んじて地域ブランドが成立している必要があると述べています。またその地域ブランドは、「自ずと形成されるものであって、人為的に作れるものではない」、もし作ろうとするなら「莫大な宣伝費用がかかる」、非現実的な原資が必要となるといいます。この点から地域ブランド形成は「出発点において、矛盾を内在させている」と村山氏は指摘しています。

マーケティングの立場から体系的な地域ブランド論をまとめた小林哲《てつ》氏は、一般のビジネスブランドにおけるブランドと製品の関係を地域にあてはめて、ブランド知識の内容、構造がどのようにかかわるかを分析しながら、製品・地域の相互作用のダイナミズムによる地域ブランドの育成の方法を検討しています。

一般に既存のブランドが新商品を発売する際には、すでに知られているブランドを利用し、消費者に商品を受け入れやすくして購入を促進する手法がとれます。しかしその際に前提となるのは既存のブランドの認知であり、それは広告プロモーションなどへの投資によって実現します。地域ブランドにおいては、公的機関の原資の限界があるために同様の手法で地域ブランドを形成することは困難であると小林氏は指摘します。これを踏まえて、PR活動などの方法により、地域ブランドを「小さく生み大きく育てる」スタンスの必要性を提起しています。

これらの議論では、図3-2のように、地域ブランドが地域産品に「a価値付与」し、地域

図3-2　地域ブランドを起点とした価値形成循環

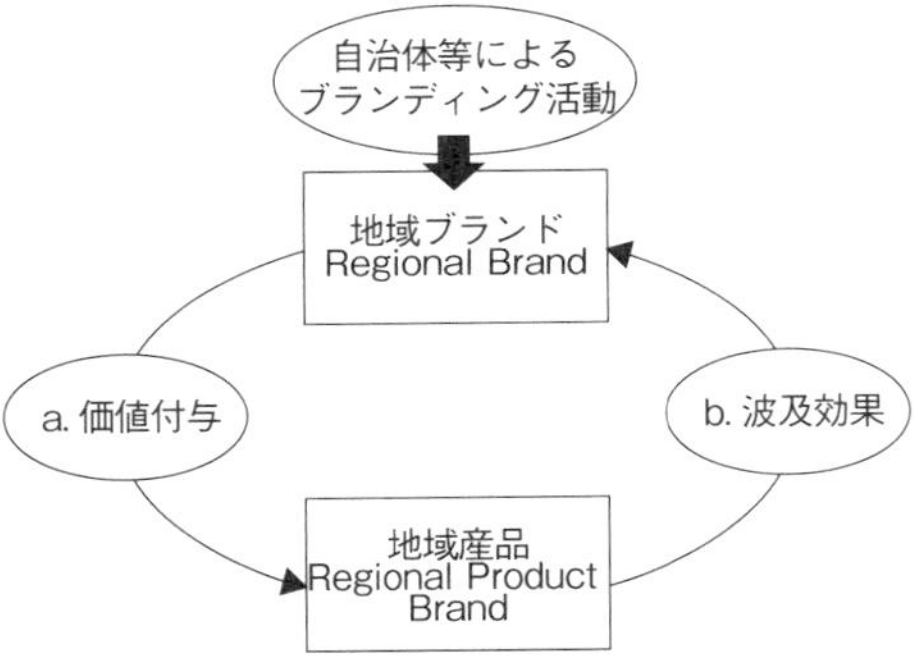

産品の評価の「b波及効果」で地域ブランドの価値がいっそう高められる双方向の影響関係が想定されています。地域ブランドの、たとえば「伊勢」の価値が消費者に認められているおかげで、地域産品である「赤福」にも価値が付与される。逆に地域産品の「厚岸《あっけし》の牡蠣《かき》」への評価が高まれば、地域ブランド「北海道」「北海道の海の幸」の価値はなお向上する、そういう循環的な構造です。

自治体ブランディングの困難はお金

こういったポジティブな影響関係が成立するためには、地域ブランドか地域産品の、いずれかの価値が広く認められていなければなりません。そこで、まずは地域ブランドの価値を高めようとするのが、盛んに自治体が行っている地域ブランディングの活動です。しかし村山氏と小林氏は共通して自治体の原資の限界が地域ブランド形成のボトルネックになると指摘していました。実際に経産省が全国の自治体を対象に行った二〇一四年の調査でも、地域ブランディングがうまく進んでいない「最も大きな要因」となっているのは「予算が不十分」な点であると報告されています。

現在すでに価値が高いと認められた地域ブランドはともかく、評価が定まっていない地域ブランドは地域産品に十分に価値を付与できる見込みがない。地域産品にありがたみがなければ地域ブランドへの波及効果もない。これでは地域ブランドは、寄せられた大きな期待に応えられません。

地域ブランドの実践と議論が困難に見舞われるのは、ブランディングによって先んじて「地域ブランド」の価値を形成し、地域産品に「a価値付与」をしようとするからではないでしょうか。逆に「地域産品」のほうに起点を設定し、「b波及効果」によって地域ブランドの価値を高める可能性を探っていく必要があると考えます[2]。

地域産品を起点として価値形成循環を駆動させることが可能か、地域産品から地域ブランド価値の「波及効果」があるかを調査によって検証していくこととします。

2　地域産品は地域ブランドの価値を高めるか

†地域の資産を利用する正当性

地域産品のほうから地域ブランドへの「波及効果」はあるか。たとえば瀬戸内・小豆島《しょうどしま》の地域産品「井上誠耕園《せいこうえん》のオリーブオイル」の活動の結果として、地域ブランド「小豆島のオリーブオイル」の価値が高まるという作用はあるのか。この点は地域産品の地域ブランド利用の正当性の問題にもかかわります。

高知、小豆島、三陸《さんりく》などの地名、地域ブランドは、地域の人々の歴史的な協働のいとなみのすえに消費者に知られて価値が評価されるようになったものです。これをマーケティング活動で利用した地域産品が収益をもたらせば、その際の地域ブランドは直接に経済価値のある公共的な情報財といえます。

地域の財産である地域ブランドを地域に縁もゆかりもない他所の事業者が利用して収益を得るなら、ただ乗り、フリーライダーのそしりはまぬがれ得ません。地理的表示（GI）や地域団体商標の制度は、資格がなく地域に貢献もしない他地域事業者のただ乗りから地域ブランドを守るために定められました。(3)

ではその地域の事業者であれば、すなわち地域の資産を利用してよいといえるでしょうか。仮に事業者の活動やその成果がなんら地域に貢献することなく、収益のすべてが事業者に帰するだけなら、結果においては他の地域の事業者による地域ブランド利用の場合と変わりありません。資格の不在だけでなく結果の貢献の有無によっても、ただ乗りが非難されるのであれば、地域ブランドの利用は、地域の産業と生活への寄与をもって正当化できるといえます。

地域ブランドは情報財ですから、いずれかの地域産品が利用してもただちには減ることはありません。しかしマーケティング活動で盛んに利用されれば、また地域産品が市場で広がれば、特別で稀少な地域ブランドの価値は、ありきたりのありふれたものになって価値が損耗する、価値付与の効果が薄れるおそれもあります。

逆に地域産品を売る事業者の活動が地域ブランドの価値をすり減らすのではなく、いっそう高めるほうにはたらくのならば、他の地域事業者の成長可能性をも同時に高めて地域に貢献できます。この意味でも地域産品のマーケティング活動が、地域ブランドの価値評価を再生産する波及効果をもたらすのかが確かめられる必要があります。

†価値を価格で計る仮想的市場評価

では地域ブランドの価値を何によって測るか。消費者による商品の価値評価を測定する指標は、購買意向や推奨意向、商品満足度などがありますが、この際に有用なのは「価格」による評価です。価格は収益の源泉であり、消費者にとっても「いくらなら買うか」は商品の価値の最終的な評価です。価格評価は購買意向などより市場の実態に近いとも考えられます。

消費者の評価価格を把握する手法として仮想的市場評価法があります。これはアンケートの調査票で商品のスペックを被験者に提示したうえで、「この商品をいくらなら買うか」を聞くものです。(4) 今回の調査では、男女三〇－六〇代を対象としたインターネット調査により九三三七人の有効回答を得ています。評価対象の商品を購入する可能性があると答えたサンプルにそれぞれの評価価格の回答を得ました。

実施した地域ブランドの仮想的市場評価調査では、商品選択が行われる市場の環境に近づけて値ごろの指針を回答者に与えるためにも、比較対象として量販店のプライベートブランド、ＰＢの価格を提示しました。これにより地域ブランドのＰＢ比の「価格プレミアム」が計測できます。

PBは一般に小売り各社の販売力・信頼性を背景にマーケティングコストを削減したうえで比較的に安い価格で供給されており、過去には「ノーブランド商品」とも呼ばれていました。そのPBの価格と比較して、消費者は地域名の付いたカテゴリーにいくらの値付けをするか、地域ブランドの価格プレミアムを把握します。

評価対象は、それぞれに特定の地域・地域産品を想定して五つのカテゴリーを取り上げています。ゆずぽん酢、オリーブオイル、さば味噌煮、チーズケーキ、だしパックです。評価調査の設問は、たとえば次のような形式で聞いています。

「ゆずぽん酢（三六〇ミリリットル）」でスーパーの一般的なプライベートブランドの商品が「一九〇円」とすると、「高知産のゆずぽん酢」は「〇〇円」ならば買う。

被験者には「〇〇円」のところに金額を記入してもらいます。

表3－1　評価対象地域産品

地域	地域産品		認知率	推定売上(2019)
高知	馬路村農協	ゆずぽん酢	23%	40億円
小豆島	井上誠耕園	オリーブオイル	13%	70億円
三陸	三陸おのや	サバの味噌煮	8%	35億円
小樽	ルタオ	チーズケーキ	37%	100億円
福岡	茅乃舎	だしパック	26%	220億円

†五つの事業者の地域産品

地域産品は表3-1の五つの事業者の商品を対象とします。いずれも有力な産品であり、それぞれのカテゴリーでマーケティン

表3－2　地域産品認知者／未認知者の地域ブランドプレミアム（PB比）

地域産品 未認知者（5品目平均）125%　➡　地域産品 認知者（5品目平均）136%

地域ブランド評価価格			未認知者		地域産品認知者		
高知産ゆずぽん酢	¥252	133%	¥244	129%	¥271	142%	＋13P
小豆島産オリーブオイル	¥598	125%	¥594	124%	¥625	130%	＋6P
三陸産サバの味噌煮	¥216	117%	¥215	116%	¥224	121%	＋5P
小樽産チーズケーキ	¥1,182	131%	¥1,117	124%	¥1,249	139%	＋15P
福岡産だしパック	¥208	139%	¥202	134%	¥222	148%	＋14P

グ活動が投入され、ＰＢ・ナショナルブランドに抗して市場で一定の位置を占めています。

そのマーケティング活動が十分に到達した範囲の消費者は、広告や商品自体への接触によって地域産品を認知しています。各地域産品のマーケティング活動が波及効果をもたらした結果として地域ブランドの価値を高めているのなら、地域産品の認知者と非認知者の地域ブランドの評価価格に違いが現れるはずです。

そこでたとえば「ルタオのチーズケーキ」を知っている認知者と、ルタオをまだ知らない未認知者の「小樽《おたる》」の地域ブランド評価価格を比較します。ルタオの認知者のほうの評価価格が有意に高ければ、地域産品ルタオのマーケティング活動は小樽の地域ブランドの評価価格を引き上げる、価値向上に貢献していると考えられます。

地域産品の認知者と未認知者の、地域ブランドの評価価格は表3-2の通りでした。ここで把握した五つの品目のデータではすべて、地域産品の認知者の地域ブランドへの評価価格は未認知者を有意に上回っています。

たとえば地域産品の「馬路村《うまじむら》農協のゆずぽん酢」を知らない消費者は、地域ブランド「高知産のゆずぽん酢」にPB比一二九％の二四四円と値付けています。一方で馬路村農協を知っている消費者は、「高知」産ならば一四二％の二七一円の価格で買うと評価しました。馬路村農協のマーケティング活動が到達して消費者に認知されることで、高知の地域ブランドの価値は一三ポイント向上します。他の四品目でも五―一五ポイントプラスの、十分に高い波及効果が確認されています。

この分析結果から地域産品から地域ブランドへの波及効果はある、地域産品のマーケティング活動は、地域ブランドの価値向上のスピルオーバーをもたらすといえそうです。

†ブランド価値を高める波及効果

前項でみたのは地域産品の認知／未認知の区分でした。続いて消費者が地域産品を知っている程度、知識の蓄積のレベルと、地域ブランドの価格プレミアムの関係について分析します。今回の調査では地域産品の知識レベルを「（地域産品の）名前は知っているが商品については知らない」から「商品についてよく知っている」までの四段階で聞いています。知識レベル別の地域ブランド評価価格が表3-3です。

表3−3　地域産品の知識レベルと地域ブランドプレミアム（PB比）

	高知 ゆずぽん酢	小豆島 オリーブオイル	三陸 サバの味噌煮	小樽 チーズケーキ	福岡 だしパック
PB 提示価格	100%	100%	100%	100%	100%
地域産品未認知者	129%	124%	116%	124%	134%
地域産品認知者平均	142%**	130%**	121%**	139%**	148%**
知識レベル低	133%*	127%*	118%	127%	140%**
知識レベルやや低	136%**	126%	121%**	132%**	142%**
知識レベルやや高	144%**	133%**	126%**	139%**	149%**
知識レベル高	151%**	136%**	124%**	147%**	156%**

※未認知者と各層のｔ検定両側有意確率　*：p＜0.05,　**：p＜0.01

五品目に共通して、地域産品についての知識レベルが高いほど地域ブランドの価格プレミアムが高くなる傾向がみてとれます。地域ブランド「福岡産のだしパック」では、地域産品「茅乃舎《かやのや》」の未認知者のPB比一三四%から、茅乃舎の商品への知識のレベルが上がるにつれて福岡の地域ブランドへの価格プレミアムも向上し、「商品についてよく知っている」段階では一五六%に達しています。

茅乃舎の現状の認知度は二六%ですが、事業者の活動で消費者に認知が広がってゆけば、福岡産だしパックの価格プレミアムは現状のPB比一・三四倍から一・四八倍に近づく。さらに茅乃舎への知識が深まっていけば一・五六倍に向上していくことになります。

消費者の商品についての知識は、複数回の情報接触、商品接触で蓄積していきます。地域産品はその広告やパッケージ、顧客向けのコミュニケーションにおいて地域ブランドを利用します。そのマーケティング活動と商品自体への接触が繰り返されることによって、商品知識とともに地域についての知識も蓄積されて、地域ブランドの価格プレミアムがいっそう向上していきます。つまり事業者による地域産品のマーケティング活動が地域ブランドの価値を高める波及効果が起こる、このような作用があると想定できます。

茅乃舎などの地域産品のマーケティング活動は地域資源を損耗するのではなくポジティブな波及効果をもたらし、活動が広がるほど他の事業者も利用できる地域ブランドの価値を再生産する役割を果たして、地域全体に貢献していました。

†地域に貢献するオリーブ農家の活動

地域産品マーケティング活動の波及効果の事例を見てみましょう。農業法人・井上誠耕園は瀬戸内海・小豆島の三代続く農家で、食品のオリーブオイルとオリーブの化粧品を全国で販売して推定七〇億円の売上になっています。

小豆島でのオリーブ栽培は一〇〇年以上の歴史があり、その地の特産品として消費者に広く知られています。瀬戸内の気候は温暖で降雨量は少なく、ヨーロッパ南部、アフリカ北端の地中海性気候と特徴が共通する。そのため瀬戸内海の島々は地中海と同じく、レモンやオリーブの栽培が盛んである。このような瀬戸内の特徴は、教科書や学習参考書にも記述されています。小豆島には確立した地域ブランドがあるといえます。

井上誠耕園の広告には「小豆島からお届けします」と島名が示され、ビジュアルにも島の産地風景が利用されます。地名－産品の結び付いた地域ブランドを活用する同社の広告は見る者にとって納得性が高く、商品の価値を高める効果があります。瀬戸内の海をわたる潮風に揺れるオリーブの葉、老若の従業員が実を摘む収穫風景などの広告表現は、同社の商品が本場の産地で、ていねいに栽培・加工された本物であることを伝えます。

実際に、井上誠耕園が販売している小豆島産の食用オリーブオイルは、ナショナルブランド商品よりはるかに高い価格でも売れています。もちろん単に小豆島産というだけでなく、独自の商品づくりの工夫、マーケティングの展開がなされているのですが、「小豆島」の地域ブランドは同社事業の重要な経営基盤になっています。

同社が展開した広告などのマーケティング活動によって、「井上誠耕園のオリーブオイル」は一割以上の消費者に知られるようになりました。同社を知らない消費者が「小豆島産のオリーブオイル」にPB比一二四％の値付けをしているところ、認知者は平均で一三〇％、「商品についてよく知っている」段階では一三六％の価格プレミアムを与えています。つまり同社のマーケティング活動は、地域ブランドの価値を減じるのではなく、小豆島のオリーブオイルの価値を高めるほうに作用していました。

島の人口は最盛期には六万人を超えていましたが、いまは半分近くに減少して高齢化も進んでいます。そのなかにあって井上誠耕園は、地域を支える役割をも果たしています。地域ブランドを活用した同社の事業に触れ、瀬戸内の風景のなかで働く仕事に魅力を感じてUターンIターンで移住してきた若い従業員も含めて、一五〇名の雇用を島に創出しています。

†馬路村農協の広域地域貢献

高知県東部、海岸部の安芸《あき》市から剣山地《つるぎさんち》のほうに車を向けて細い道を四〇分ほど遡ると、人口わずか九〇〇人の村、山に囲まれた馬路村が現れます。集落の中心部を流れる安田川の清流には鮎が泳ぎ、夏には川に飛び込む子供たちの姿が見られます。

村の農協、「馬路村農協」は地域おこし・地域ブランド形成の成功例とされています。ただ「小豆島のオリーブ」のような、よく知られた地域ブランドが事前にあったわけではありませんでした。馬路村農協は特産のゆずを原料とした飲料「ごっくん馬路村」とゆずぽん酢「ゆずの村」を主力商材として、各地の百貨店などでの催事販売とダイレクトマーケティングによる販売を次第に拡げて顧客を獲得してきました。

商品パッケージ、催事の展示物、顧客に送付するDMなどでは、村の風景や子供たちの写真とイラスト、筆文字で記された高知弁の文章により、馬路村農協の独特のビジュアルアイデンティティが表現されています。これらの展開は「村をまるごと売る」戦略とも言われますが、商品販売をともなわない「ブランディング」の活動がなされているわけではありません。高知にある小さな村の魅力を表現して商品に価値を付与して販売する、地域産品のマーケティング活動の実践が成功したと理解されます。

近年はスーパーなど量販店での馬路村のぽん酢の販売も拡大し、「馬路村」の名前は消費者の二三％に知られるまでに至りました。

高知県はもともとゆずの産地でしたが代表的な産地として知られるようになったせいもあって、馬路村だけでなく近隣の北川村、安芸市、香美市などでゆずの栽培面積は広がりました。また「高知」のブランドを売りにしたい大手メーカーのぽん酢など加工食品の原料にも採用され、高知産ゆずの出荷量は二〇〇六年の七二〇〇トンから二〇一六年には一万三二〇〇トンへと一〇年で一・八倍に増加しています。現在では全国出荷に占める高知のシェアは過半の五五％となりました。高知のゆず産地としての成長を背景に馬路村を含む五町村は、文化庁の指定する日本遺産の「ゆずと森林鉄道」としても選ばれています。

馬路村農協による地域産品のマーケティング活動の成功は村の産業、雇用を支えただけでなく、表3-3のデータでも明らかになっていますが、高知県のゆず農家に広くポジティブな波及効果の恩恵を与えるものとなりました。

3　消費者の共同性志向と地域ブランド

†共同性志向による価値付与

さて前章の調査分析では、消費者が地域産品を積極的に選択する傾向、地方支援消費志向の背景には、共同性志向があることがわかっています。地域ブランドの評価価格についても、消費者の共同性志向が後押しするでしょうか。

仮想的市場評価調査の対象のうち、五〇九サンプルには「社会のために役立ちたい」「困った人がいれば皆で助け合うべき」など五つの共同性志向に関わる調査項目を設定していました。それらの項目を使った因子分析で得られた因子得点により、共同性志向の強弱でサンプルを四等分しました。

表3-4の各区分別の五品目平均の地域ブランドの評価価格を見ると、共同性志向が強い区分ほど地域ブランドに対して高い評価価格を与えています。消費者に「困った人がいれば

皆で助け合うべき」などの相互扶助的な共同性への志向が高いほど、地名のある商品に高い値付けをする傾向がある、地域ブランドに高い価格プレミアムを与えるということになります。

表3-4　共同性志向と価格プレミアム（PB比）

地域ブランド評価価格	131%
共同性志向：弱い	125%
共同性志向：やや弱い	126%
共同性志向：やや強い	131%
共同性志向：強い	141%

地域産品を起点にしたブランド価値形成へ

消費者の共同性志向は「地方援助層」で顕著でした。都市住民の約二割を占めるこの層は、地方を応援したいという意識をもち、地域産品を積極的に選択する傾向があります。その傾向は共同性を志向する倫理的な動機に由来するため、地域ブランドがすでに確立した特定の地方に限らず、地方から届けられる産品の全般に向かうと考えられます。

地域ブランドとしてとりわけ知られていなくとも、地域にはそれぞれに地名があります。地方援助層のような消費者は、地名が付与された地方の産品に高い価値を認めて積極的に選択してくれます。地域産品のマーケティング活動に触れて地域産品を選ぶ消費者は、地域ブランド形成の作用循環の火付け役になります。

地域産品のマーケティングが地方の特色を魅力的に表現して展開されれば、地域ブランドの価値は高まります。地域産品が公共的な情報財である地域ブランドを利用している限り特定の事業者だけが恩恵を独占することにはならず、小豆島・高知の事例に現れたように地域全体に貢献する外部経済効果がもたらされます。

自治体に予算がないから地域ブランドの価値を形成できない、価値のない地域ブランドは地域産品に価値を付与できない。地域ブランドの実践と議論は堂々巡りの困難に直面していました。しかし五つの地域、地域産品のケースの検討からは、地域の事業者のマーケティング活動によって地域ブランドの価値が向上する波及効果がもたらされることが検証されました（図3-3）。

ここから事業者を主体とする地域産品のマーケティング活動が起点となって、持続的に地域ブランドの価値を高めていける可能性があると考えられます。次章では各地域ブランドの内容に踏み込んで、この点の検証をすすめます。

図3-3　地域産品を起点とした価値形成循環の駆動

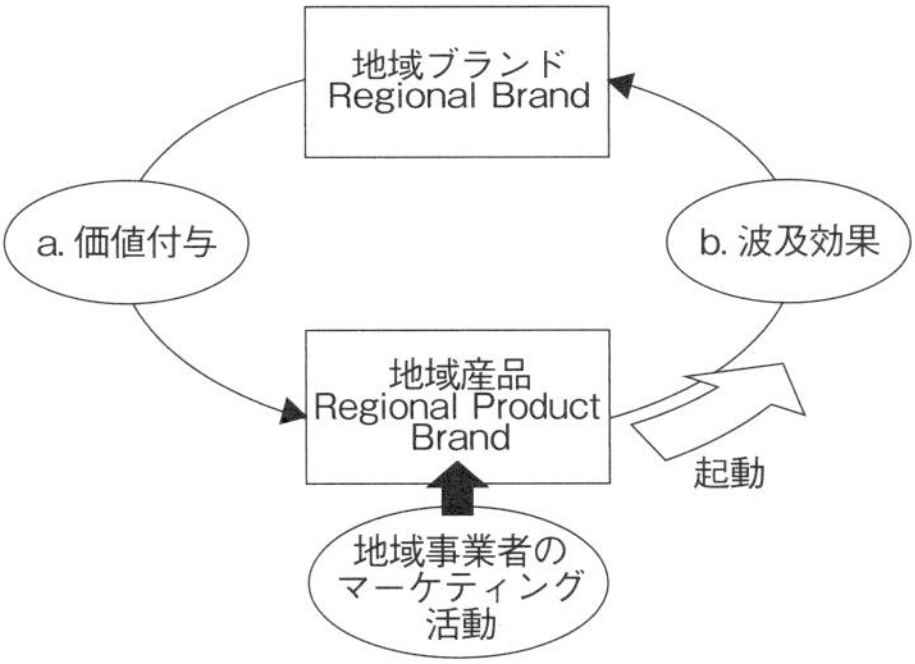

(1)ここでいう「地域産品」は本来であれば物品に限らず、地域から提供される観光などのサービスも含めて「地域商品」と記されるべきだと考えられます。しかしその語は必ずしもこなれておらず、また地域内の需要に依存するLocal Productsとも紛らわしいとの指摘もあって地域産品の語を用いています。
(2)前述の小林氏も、地域ブランドの価値を高めるために、すでに顧客の評価を得ている地域の既存商品の力を借りる方法を提起しています。これは製品力をブランド力に移行させる「間接フィードバック」効果を利用するものとされています。
(3)各地の自治体の独自の「地域ブランド」認定制度、さらには法的な根拠のある地理的表示保護制度や地域団体商標は、フリーライダーから地域ブランドを守ることに寄与します。ただしこれらの制度は、当たり前のことですが、基本的に地域ブランドを広く知らしめて市場での価値を高める働きは持ちません。ブランドの価値を消費者に認識させるには、マーケティング活動への投資が必要です。
(4)仮想的市場評価の調査方式には、提示した価格で買うかどうかを選んでもらう二項選択方式や、多段階の二項選択方式である付け値ゲーム方式、自由回答方式などがあります。価格を提示して回答者の最大支払意思額に達するまで金額を上下させて購買の可否を問う付け値ゲーム方式が回答の精度は高いとされていますが、一品目ごとの被験者の負荷が大きいという難点があります。今回の分析で行うのはPB・地域ブランド間の相対的な評価価格比較であり、かつ複数の対象について評価を得る調査であるため、自由回答方式を採用しました。
　仮想市場評価法では平均値を算出しますが、一部の外れ値の影響を避けるために上下の極端な値(五パーセンタイルまで)の回答を除いて集計しています。

第四章

地域固有の記憶を紡ぐ――地域ブランド知識の形成

地域産品のマーケティング活動が、地域ブランドの価値を高めるその波及効果を前章で検証しました。その分析では地域ブランドの価値を、価格の一次元に縮約して見ています。しかし価格による評価だけでは、地域ブランドの価値を把握できたとはいえません。金沢には金沢の、堺には堺ならではの、秩父には秩父にしかない、それぞれに異なる魅力がある。個々の地域の固有の特性、地域ブランドのなかみこそが地域の価値をもたらしています。

そうであれば、これまでに見た地域ブランド価値の向上は、マーケティング活動によって地域ブランドの内容が変化したことによって起こっていると考えられます。地域産品のマーケティング活動は、それぞれの地域ブランドの固有の内容にどのような変化をもたらすのか、産品のコミュニケーションを設計する上で把握しておかなければなりません。

この章では、個別の地域に即して地域ブランドの成り立ちと内容を把握し、それが地域産品のマーケティング活動の波及効果でどのように変わったか、それぞれの変化の現れかたを検討します。

1　地域ブランドの成り立ちと変容

†ブランドの基本構造

まずは地域ブランドの内容を把握する道具立てとして「ブランドエクイティ論」を確認します。「ブランド」についてはさまざまな議論がありますが、ここで参照するのはこの分野の代表的な研究者であるケラーによる消費者ベースのブランドエクイティ論です。

ケラーは、ブランドが商品の側に内在するのではなく、消費者のマインドのなかに「ブランド知識」として存在していると捉えます。その知識に由来して消費者の選好、行動がなされると考えます。

ケラーの基本的なアイディアをもとにブランドの構造を示したのが図4-1です。コミュニ

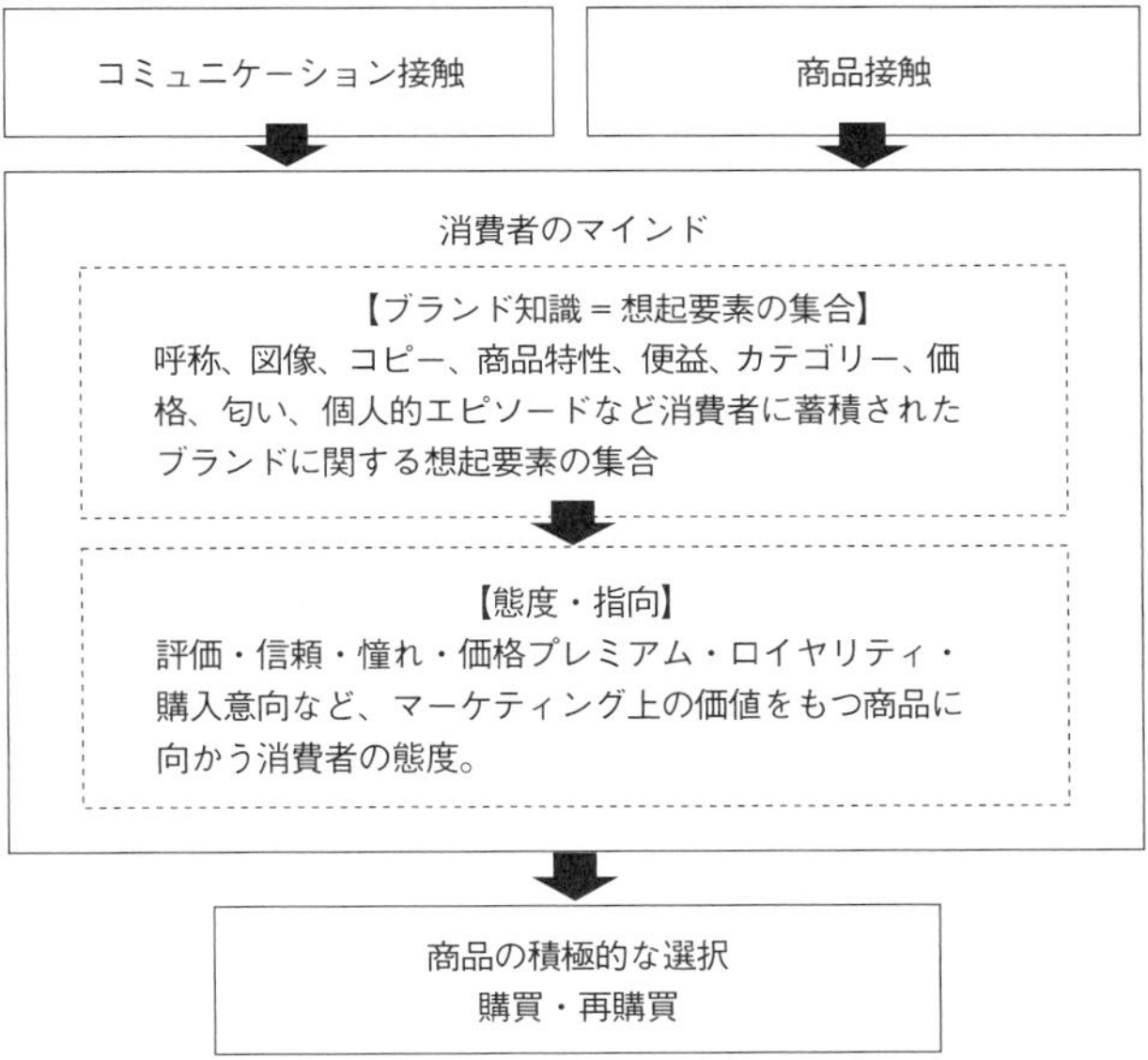

図4－1　CBBEによるブランド構成モデル

ケーションと商品への接触経験から、消費者のマインドのなかにブランド知識を構成する「想起要素」が蓄積されていきます。その要素が商品選択の過程で想起され、マーケティング的にも価値を持つ購買意向、価値評価などの態度・指向が喚起されます。

　われわれの問題意識で言うと地域ブランドの価値は、消費者の側の地域についての知識に由来して現れます。それぞれの地域にかかわるコミュニケーションと訪問経験、地域産品への接触などによって消費者に知識としてたくわえられた、産品や人物、歴史、個人的経験の記憶などの想起要素が地域ブランドの内容を構成します。

これを踏まえると地域産品のマーケティング活動の波及効果による地域ブランドの価値向上は、消費者のマインドにある地域についての想起要素がポジティブに変化していることに起因するといえます。実際に個々の地域産品のマーケティング展開が各地域ブランドにどう影響しているかを想起要素の分析によって検証します。

†地域ブランドと消費者の連想

前章で見た五つの地域について、「あなた自身が思い出すこと、もの、感じることや気持ち、印象、ことばなど」の自由記述を男女各五〇〇〇人前後の被験者から得る調査を実施しました。高知を例にとって示すと図4-2のような記述内容でした。地域ブランド「高知」に接触した消費者は、記憶にあるこのような要素を想起しています。

地名、人名、産品、料理、個人的記憶、感想、コンテンツなどが見られ、「讃岐《さぬき》うどん」「道後《どうご》温泉」のような誤解もあります。人名は「坂本龍馬」だけでなく「西原理恵子《さいばら》」「吉田類《るい》」も現れます。これらの記憶はどこからともなく生じたわけではないので、テレビ番組や雑誌、教科書、口コミなどのコミュニケーション接触、または高知の地域産

図4－2　地域ブランド想起要素「高知」

コミュニケーション接触	商品接触・訪問経験

【高知地域ブランド・想起要素】

坂本龍馬、カツオ、桂浜、四万十川、土佐、はりまや橋、よさこい、四国、カツオのたたき、うどん、土佐犬、高知城、広末涼子、足摺岬、皿鉢料理、阿波踊り、ピーマン、室戸岬、ゆず、なす、生姜、酒、はちきん、闘犬、朝市、土佐市、みかん、ひろめ市場、土佐清水、明徳義塾、田舎、土佐藩、いごっそう、文旦、南国土佐を後にして、高知龍馬空港、台風、日曜市、岬、川、四万十市、坂本龍馬像、高松、けんぴ、レタス、柑橘類、安芸、黒潮、カツオが美味しい、すだち、アンパンマン、野菜、牧野植物園、大歩危小歩危、須崎、暑い、太平洋、津波、西原理恵子、道後温泉、鳴門の渦潮、西郷隆盛、土佐鶴、土電、土佐の一本釣り、宿毛、讃岐うどん、砂浜、桂小五郎、鰹の一本釣り、吉田類、美味しい、高校野球、塩たたき、県庁おもてなし課、ペギー葉山、キャンプ、うどん県、さんま、巡礼、修学旅行先、南国、友達の家、寂れる一方、鯨、大河ドラマ、大学の同級生がいる、新婚旅行で訪れた、龍河洞、大皿料理、大酒飲み、焼酎、南国市、沢田マンション、日向夏、断水、農業……

表4－1　地域ブランド想起要素区分別出現

	5地域平均	三陸	福岡	小豆島	高知	小樽
一次産品	25.1%	36.1%	0.0%	58.6%	27.2%	3.7%
メニュー・加工食品	21.3%	4.9%	47.2%	19.9%	11.4%	23.2%
デスティネーション	20.6%	0.7%	26.4%	3.7%	17.3%	55.1%
地名・交通	17.7%	17.0%	36.5%	3.8%	24.3%	6.7%
風土地形自然	8.4%	27.3%	2.0%	4.9%	1.7%	5.9%
人物・歴史	8.4%	0.0%	1.4%	0.0%	33.8%	6.6%
コンテンツ	7.1%	4.7%	6.8%	23.4%	0.0%	0.8%
災害・事件	5.4%	23.2%	3.2%	0.0%	0.5%	0.0%
二次産品（非食品）	3.8%	0.0%	0.0%	0.0%	0.0%	19.0%
評価・感情	2.9%	2.4%	4.4%	2.0%	1.3%	4.5%
行事・イベント	2.5%	0.0%	6.5%	0.0%	6.0%	0.0%
個人の記憶	1.7%	0.0%	3.0%	1.8%	0.7%	2.8%
計	124.8%	116.2%	137.3%	118.0%	124.3%	128.2%

下線は出現上位3カテゴリー

品や高知を訪問した際の、直接接触経験に由来して記憶されています。

これらが高知の地域ブランドの想起要素です。この調査で採用した自由記述方式ではブランド知識のうち、色や匂い、図像のような非言語的な想起要素を取得できない限界がありますが、十分にバリエーションのある想起要素が得られました。

五つの地域についてのブランド知識の自由記述を文は単語に分解して、できる限り表記のブレは統一して整容し（例：竜馬→龍馬）、同義と理解できるものは統一し（例：叩き・カツオのたたき→カツオ叩き）、用言は活用を揃えて集計しています。

表4-1では各地の想起要素をジャンル別に区分した出現率です。五地域平均のジャンル別出現

率をみると一次産品がトップ、次いでメニュー、デスティネーションの順です。しかし五つの地域ブランドは想起要素のジャンルの構成がまったく異なります。小樽は「小樽運河」などの豊富なデスティネーション、高知は人物の「坂本龍馬」、福岡は「博多ラーメン」ほかのメニュー、三陸は海産物の一次産品に特徴づけられます。この点だけ見ても地域ブランドの内容、想起要素の構成は一様ではない、個々の地域に即して把握しなければならないことがわかります。

表4−2 「高知」地域ブランド想起要素

区分	想起要素	出現率
人物・歴史	坂本龍馬	32.4%
一次産品	カツオ	25.1%
デスティネーション	桂浜	9.6%
地名・交通	四万十川	8.7%
地名・交通	土佐	7.7%
メニュー・加工食品	カツオ叩き	7.0%
デスティネーション	はりまや橋	6.0%
行事・イベント	よさこい	4.6%
地名・交通	四国	2.7%
メニュー・加工食品	皿鉢料理	2.2%

高知の龍馬、桂浜、カツオ叩きにプラスアルファ

高知の地域ブランドについて、想起要素の出現率を表4-2に示しました。「高知」で思い起こされる主要な要素は二つ、第一は三割超に想起された「坂本龍馬」で、「桂浜」も連動して現れています。

第二は「カツオ」「カツオ叩き」で、両者の出現率を合わせれば龍馬に並びます。龍馬とカツオ、高

表4－3「馬路村農協」認知による「高知」想起要素の変容

	非認知者	認知者	差	
坂本龍馬	31.4%	34.5%	＋3.2p	
カツオ	25.3%	24.6%	−0.7p	
桂浜	8.8%	11.2%	＋2.4p	**
四万十川	7.9%	10.3%	＋2.4p	**
土佐	8.3%	6.6%	−1.8p	*
カツオ叩き	5.6%	9.7%	＋4.1p	**
はりまや橋	5.3%	7.3%	＋2.1p	**
よさこい	3.8%	6.2%	＋2.4p	**
四国	3.3%	1.6%	−1.7p	**
皿鉢料理	1.6%	3.3%	＋1.7p	**

*：p値＜0.05, **：p値＜0.01

知はこの二つの要素に代表されます、中位以下には、「皿鉢《さわち》料理」のメニュー、「はりまや橋」の観光地、「四万十川」の自然、イベントの「よさこい」など各ジャンルの要素が出現しており、地名による記憶の喚起力が豊かな地域ブランドです。

前章の地域ブランドの価格プレミアムの分析（表3-2）では地域産品である「馬路村農協のゆずぽん酢」の認知者は、未認知者よりも「高知」地域ブランドに対してPB比で一三ポイント高い値付けをしていました。つまり馬路村農協のマーケティング活動が、価格で計測した高知の地域ブランドの価値に波及効果（図3-2）をもたらしていました。

産品から地域ブランドへの波及効果は、ブランド知識の変容をともなっているはずです。馬路村農協のマーケティング活動が到達している認知者と非認知者の高知ブランドの想起要素の違いを見れば、どんな影響があったかがわかります。表4-3に地域産品認知者と非認知者の想起要素出現率の差分を示しました。統計上で有意な差、特異な違いがあった想起要素には「★」のマークを付けています。

まず高知の主要要素である「龍馬」「カツオ」は有意差が認められません。馬路村農協の認知者と非認知者の出現率にプラスに有意な差がある想起要素を見ていくと、認知者は高知の代表的なメニューである「カツオ叩き」「皿鉢料理」を特異に高く想起しています。一次産品・素材であるカツオではなく、それを加工した「カツオ叩き」のメニューに大きな違いが現れたのは、馬路村農協の主力商品である調味料、ゆずぽん酢からの連想に由来すると理解されます。

地名の高知の反復で情報量の少ない「土佐」、特定の意義が薄い「四国」はマイナスの差分が有意となる一方で、デスティネーション・行事関連で「桂浜」「四万十川」「はりまや橋」「よさこい」が馬路村農協の認知者で高く出現しました。この四つは高知県の中部・西部の要素であり、県東部に位置する馬路村とは地理的には近接しません。馬路村農協の地域の特色を表現したマーケティング活動が、上位地名の「高知」の想起要素にも波及して魅力を高め、県内各地の有力なデスティネーションへの関心を高めたと捉えられます。

この点から、地域産品のマーケティング活動は、地域のメニューに加えて観光振興にもポジティブな波及効果を与える可能性が示唆されます。

表4-4 「小豆島」地域ブランド想起要素

区分	想起要素	出現率
一次産品	オリーブ	56.9%
コンテンツ	二十四の瞳	22.6%
メニュー・加工食品	そうめん	8.9%
メニュー・加工食品	オリーブオイル	7.4%
メニュー・加工食品	醤油	3.6%
風土地形自然	島	2.8%
デスティネーション	寒霞渓	2.1%
地名・交通	瀬戸内海	2.1%

†小豆島のオリーブ、そうめん、醤油にプラスアルファ

地域ブランド「小豆島」の想起要素を表4-4に示しました。「小豆島といえばオリーブ」という認識はやはり消費者に広く定着しています。一次産品「オリーブ」の出現率は五六・九%で、今回の調査で思い起こされた各地の要素のなかで最も高い出現率を示しています。

またそれを加工した「オリーブオイル」のほか「そうめん」「醤油」が高く想起されました。揖保・三輪・島原と並んで、小豆島はそうめんの代表的な産地です。島の主要産品のひとつであるゴマ油の出現率は今回の調査では二%を下回りましたが、加工食品が高く想起されるのが小豆島の地域ブランドの特徴です。瀬戸内の海運と大阪・京都の大消費地の存在を背景として、一次産品の加工に永く

携わってきた同島住民の歴史的な〝なりわい〟が地域ブランドを形成しています。

小豆島の食品以外のもう一本の柱はコンテンツで、まず「二十四の瞳《にじゅうしのひとみ》」が主要な想起要素として二二・六％に出現しています。他にも想起率二％以下で「映画」「ビッグダディ」「八日目の蟬」などのコンテンツ関連要素が現れていましたが、それらの嚆矢《こうし》となったのはやはり「二十四の瞳」です。

高峰秀子の主演で一九五四年に映画化された『二十四の瞳』の原作は、小豆島の内海町出身の壺井栄《つぼいさかえ》による一九五二年の小説です。壺井は醬油樽の職人の娘に生まれ、町の役場などに勤めていました。作中に地名は現れませんが、壺井が育った地と同じ「瀬戸内海べりの一寒村」の岬の分教場に赴任した若い女性教師と生徒たちの姿が、島の風景とともに魅力的に描写されます。のちには戦死した男子生徒、海千山千の女になった女子生徒たち。島の昭和の歴史の物語は、いくたびも映画化、ドラマ化されて人々の心に留まります。地域の住民のいとなみが、地域のブランドを形成しています。

†地域産品による地域イメージへの波及効果

同島の「井上誠耕園」の認知者－非認知者の想起要素の出現率の違いを表4-5でみると、主力商品である「オリーブオイル」でプラスに有意な差が確かめられました。産品のマー

表4－5「井上誠耕園」認知による「小豆島」想起要素の変容

	非認知者	認知者	差
オリーブ	56.2%	59.8%	＋3.5p
二十四の瞳	22.4%	23.4%	＋0.9p
そうめん	8.7%	9.8%	＋1.1p
オリーブオイル	7.0%	9.3%	＋2.2p *
醤油	3.2%	5.2%	＋2.0p **
島	2.9%	2.5%	－0.4p
寒霞渓	1.8%	3.5%	＋1.6p **
瀬戸内海	2.4%	1.0%	－1.4p *

*：p 値＜0.05, **：p 値＜0.01

ケティング活動は、一次産品のオリーブではなく、付加価値を高めた加工品のほうに影響をもたらしています。この恩恵を受けて、小豆島では井上誠耕園以外の事業者もオリーブ加工品を販売する事業展開を活発化させるなどの波及効果が表れています。

次いで「醤油」も認知者に特異に想起されました。醤油は井上誠耕園の主力扱い商品ではありませんが、オリーブオイルと同じく島の特産の調味料という側面から連想が波及していると考えられます。

また「醤油」との共起率（同じ人の記述に出現する率）が高い想起要素を見ると、オリーブが六五%、二十四の瞳が四〇%、寒霞《かんか》渓《けい》が九%、エンジェルロードが九%などとなっています。これらは観光にかかわる要素であり、またデスティネーション「寒霞渓」も認知者に特異に現れていることから、「醤油」もまた観光に関係するとも考えられます。

小豆島には醤油メーカー「マルキン醤油」の記念館があり、また醤油蔵が立ち並ぶ旧内海町の街並みは、二十四の瞳映画村、オリーブ公園などと並んで観光スポットになっています。井上誠耕園のマーケティング活動は「小豆島産」の価値を高めながら、同社がコミュニケーションで表現する小豆島への消費者の関与を向上させて、同島のデスティネーションを連想するようになる影響があったと理解されます。

†三陸の恵みと災禍

地域ブランドの「三陸」は海にかかわる要素で構成されています。三陸の想起要素を示した表4-6を見ると「リアス式海岸」が最上位に現れます。現在ではリアス海岸と呼ぶようですが、三陸の入り組んだ沈降海岸の解説は社会科の教科書に必ず載っています。また三陸は世界三大漁場のひとつ、これも義務教育の中学二年生の教科書で学んでいます。

教科書で教えられた事項は、強い地域ブランドの基盤になります。深い入り江の静かな水面に養殖のイカダが浮かんで「ワカメ」「カキ」がゆっくりと育ち、港に漁船が着けば「海の幸」「海産物」総じて「美味しい」「魚」が水揚げされています。このような三陸の景観と海の恵みの知識は、広く日本人の記憶に蓄積しています。

一方で海は二〇一一年、「津波」の災いをもたらしました。作家吉村昭のルポルタージ

表4-6 「三陸」地域ブランド想起要素

区分	想起要素	出現率
風土地形自然	リアス式海岸	24.3%
一次産品	ワカメ	19.3%
災害・事件	東日本大震災	15.2%
一次産品	カキ	5.7%
災害・事件	津波	5.6%
コンテンツ	あまちゃん	4.7%
メニュー・加工食品	海の幸	3.7%
一次産品	海産物	3.2%
地名・交通	岩手	2.9%
一次産品	魚	2.5%
評価・感情	美味しい	2.4%
風土地形自然	海	2.1%
地名・交通	三陸鉄道	2.1%

ュ『三陸海岸大津波』(一九八四)では先立つ三たびの惨禍、一八九六年の明治三陸津波、一九三三年の昭和三陸津波、一九六〇年チリ大地震大津波が記録されています。海は沿岸住民を幾度も災禍に巻き込み、住民はそのたびに復興へと立ち上がってきました。

消費者の記憶にある地域ブランドの想起要素にも「東日本大震災」「津波」が現れています。二〇一三年のNHK朝の連続ドラマ「あまちゃん」は、三陸の海の二つの側面をつなぐコンテンツで、その舞台となった「三陸鉄道」とともに今も消費者の知識に残ります。

岩手・釜石《かまいし》の水産加工会社、小野食品が二〇〇九年に始めた魚そうざいを販売する事業が「三陸おのや」です。水産加工品の市場では、二〇〇〇年ごろより中国からの商品輸入が増えて、商社・流通の価格要求は厳しくなってきます。たび重なる値下げ要請に同社の利益率は低下していきます。三陸の水産業全体が同じような困難に見舞われるなか、小野食品の小野社長は自社の商品に自信がありました。素材・調理・無添加の特性など、輸入品よりもはるかに優れている。この商品の品質、おいしさを消費者に直接確かめてもらいたい。他よりも値段がやや高くとも買ってくれる消費者に、直接に魚そうざいを届けたい。同社社長はそう考えるようになりました。

そこで自社ブランド商品による消費者への販売を試みます。地元の釜石に特設の売り場を設けて直売会を何度か実施したところ、回を重ねるにつれ客数も売上も伸びていきます。自社商品への自信を深めるとともに、消費者の評価と直接に相対する手ごたえを感じます。これを受けて小野食品は本格的に全国への販路拡大の道を模索しはじめました。

事業成長を遂げた起業家の多くがそうであるように小野社長は、収益だけではない事業目標、社会への貢献の意志をもっています。日本人の豊かな食卓と健康を支えていた魚を食べる習慣を、魚そうざいの販売を通じて守りたいという思いがありました。また最盛期には季節工など流動人口を含めて一〇万人を超えた釜石の人口は、製鉄所の閉炉後には減少する一方です。自社の事業成長、地域水産加工業の発展によってこの街のにぎわいを取り戻したいと願っています。

経営者の思いを形にした商品を売る同社のマーケティング活動が、海の地域ブランド「三陸」にどのような影響を与えているか確認します。

†海の幸の価値を高める事業活動

同社は全国紙の一面をつかったカラー新聞広告や、テレビスポットCMと折込チラシのメディアミクスキャンペーンを展開するマーケティング活動を全国で実践しています。その際には所在地である釜石および、釜石を包含する広域の「三陸」ブランドを活用して、その価値付与の恩恵を受けています。屋号に地域名を冠するほか、CMでは三陸産のサバの味噌煮など魚料理のシズル、漁港での水揚げ風景などを表現しています。

表4-7を見ると「三陸おのや」を認知した消費者は、「三陸」地域の想起要素のうち「海の幸」「岩手」そして「美味しい」の三要素について有意に高く想起しました。釜石にある同社の存在により、青森から宮城にまたがる三陸地方から「岩手」が特定されています。

また三陸と聞いて「海の幸」「美味しい」と想起する人は、三陸おのやの認知者では非認知者と比べて大きく増えて、二倍前後の高いポイントになっています。同社の活動は三陸の地域ブランドを利用するだけではなく、〝三陸は海の幸が美味しい場所〟というブランド知識を消費者のマインドのなかに形成していました。この波及効果が「三陸産」の地域ブランドの評価価格の向上に現れたと捉えられます。

同社は二〇一一年の東北の震災では新設の工場が全壊するなど致命的な被害を受けましたが、経営者・従業員の努力と顧客の支援により復興に成功し、現在の推定年商は震災前を上回る三五億円となって三陸沿岸部のサプライチェーンを支えています。

地域ブランドを利用し、その他の魚の美味しさを訴求してマーケティング活動を行う「三陸おのや」が多くの消費者に知られるにつれ、受難を超えて事業が成長していくほどに、海の地域

表4-7 「三陸おのや」認知による「三陸」想起要素の変容

	非認知者	認知者	差	
リアス式海岸	24.2%	25.2%	+1.0p	
ワカメ	19.3%	19.1%	−0.2p	
東日本大震災	15.3%	14.7%	−0.6p	
カキ	5.7%	5.6%	−0.1p	
津波	5.7%	4.8%	−0.8p	
あまちゃん	4.6%	5.0%	+0.4p	
海の幸	3.3%	6.3%	+3.0p	**
海産物	3.1%	3.7%	+0.6p	
岩手	2.6%	4.6%	+2.0p	**
魚	2.6%	1.7%	−0.9p	
美味しい	2.1%	4.6%	+2.6p	**
海	2.1%	2.2%	+0.1p	
三陸鉄道	2.0%	2.8%	+0.8p	

*：p 値<0.05, **：p 値<0.01

ブランド「三陸」のポジティブな要素が広く消費者の知識に形成されていきます。

†小樽の歴史的重層性

「小樽」の地名はオタ・オル・ナイ川というアイヌ語の固有名詞に由来します。江戸中期に松前藩により北前船の最北端寄港地として小樽に港が開かれ、明治に入ると政府の開拓使庁が置かれました。小樽はニシン漁の拠点であるとともに北海道の統治・開拓の最前線となって、石炭・穀物・海産物を輸出する港湾都市として発達していきます。第一次大戦時には戦火により穀物の不足したヨーロッパへの穀物輸出の特需が起こり、小樽の商人たちは巨利を得ます。物資の積み下ろしのための運河と鉄道路線が整備され、港湾労働者が集まって争議も起こる。同時期には日銀をはじめとする金融機関が出店し〝北のウォール街〟と呼ばれた小樽の街並みが成立しました。

その後はニシンの不漁、戦後には石炭から石油へのエネルギー転換も進んで、小樽港の役割の重要性は低下します。北海道の行政・金融の中心都市の位置も札幌に移行して小樽の繁栄は失われていきました。市の人口は一九六四年の二〇万人をピークに、二〇一九年には一二万人を割って減少を続けています。そのなかで地域の支えになったのが運河を中心とした観光です。一九七〇年代の市民運動を発端にした小樽運河の保全、後の観光地としての発展については多数の記録や研究があります。

このように前近代の内国植民地としての歴史、近代の産業化、世界システムに組み込まれての地域発展、産業構造の転換、観光地化など重層的な歴史が小樽にはあります。この地について消費者はどのようなブランド知識を持つのか。

表4－8 「小樽」地域ブランド想起要素

区分	想起要素	出現率
デスティネーション	小樽運河	33.3%
二次産品（非食品）	ガラス細工	11.9%
メニュー・加工食品	寿司	11.1%
デスティネーション	赤レンガ倉庫	7.1%
地名・交通	北海道	6.7%
人物・歴史	石原裕次郎	6.6%
二次産品（非食品）	オルゴール	4.6%
デスティネーション	夜景	3.9%
メニュー・加工食品	ルタオ	3.4%
評価・感情	美味しい	2.8%
デスティネーション	石原裕次郎記念館	2.6%
メニュー・加工食品	海鮮	2.5%

†地図上に連なる想起要素

「小樽」の想起要素では「小樽運河」が、約三分の一に出現して突出しています（表4-8）。図4-3の小樽市街図を合わせて確認してみましょう。

「小樽運河」は「赤レンガ倉庫」とともに観光の中心です。夜になれば運河は街の灯りを映した美しい「夜景」となります。堺町の通りを歩めば、北一硝子《きたいちがらす》などの「ガラス細工」

図4－3　小樽市街と主要想起要素

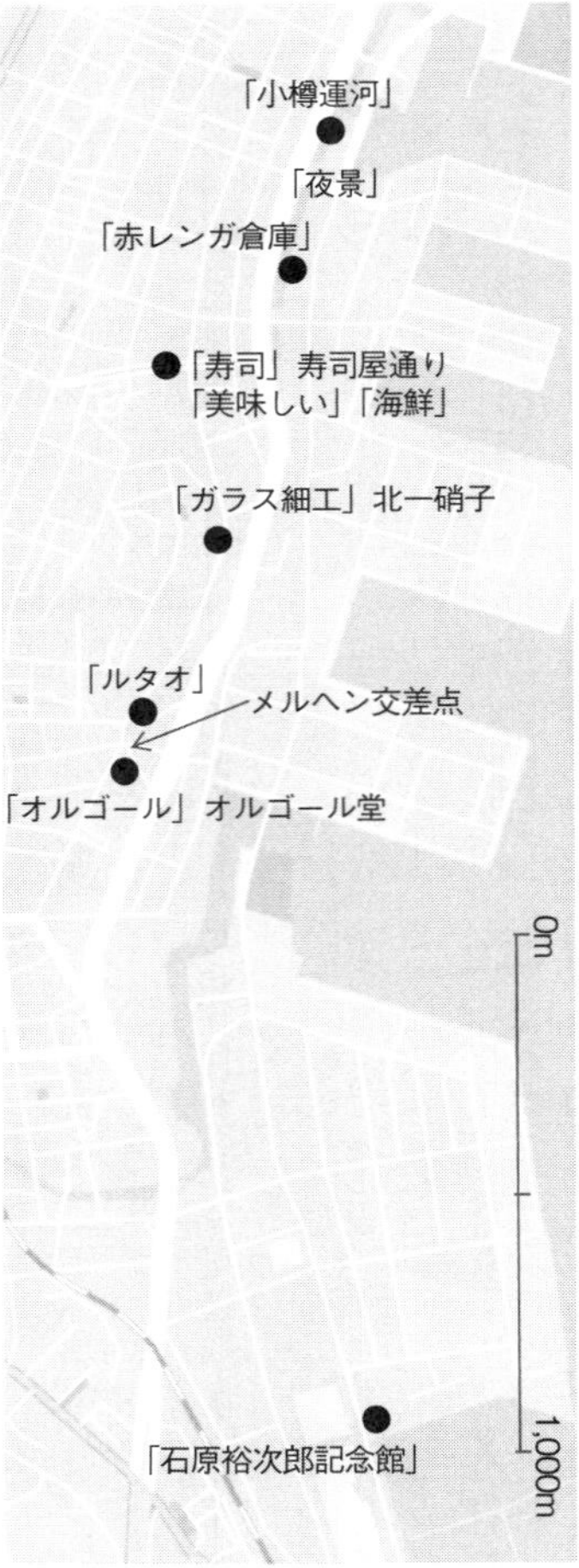

店、「美味しい」食べ物は「寿司」屋通り、蒸気時計のある「オルゴール」堂があり、〃メルヘン交差点〃と呼ばれる五叉路にそびえる鐘楼づくりの店舗、洋菓子店の「ルタオ」へとたどれます。

つまり地域ブランド「小樽」で想起された要素は、ほぼ歩いて行けるデスティネーションの範囲に収まっています。堺町交差点から一・五キロほど先、徒歩で約二〇分のイオン小樽店のそばに日活アクション映画の大スター、「石原裕次郎」の「記念館」がありました。その来場者数は最盛期の一〇分の一になって二〇一七年に閉館しましたが、現在も裕次郎の活躍が記憶されていることがデータでも確認されました。

†小樽「ルタオ」でメルヘン昂進

チーズケーキ「ドゥーブル・フロマージュ」を主力商品とする小樽の「ルタオ」は、株式会社ケイシイシイが運営する洋菓子店です。北海道スイーツのなかでは白い恋人の石屋製菓、六花亭、ロイズなどに次ぐ位置にあります。観光客・地元住民を対象とした小樽市内での店舗販売からスタートし、千歳空港などの店舗と道外での催事販売、顧客への通販へと拡大してきました。もともと同社は鳥取県米子市に本社のある総合菓子メーカー、寿スピリッツが一九九六年に設立したもの、つまり道外から小樽に新たに進出してきた企業です。

地名のアナグラムを屋号とする「ルタオ」の本店は洋館を模した鐘楼風の建物となっており、同地の観光キャンペーンコピーである「エキゾチック・ロマンチック」な「小樽」の地域ブランドを体現しています。ルタオはテレビの旅番組や〝北海道お取り寄せスイーツ〟などの番組でも多く紹介され、また全国百貨店での北海道催事の常連となり、小樽の地に店を置く恩恵を十全に受けています。そのルタオのマーケティング活動は「小樽産」の評価価格を高めていましたが、進出地である小樽の地域ブランドの固有の内容に対して

表4－9 「ルタオ」認知による「小樽」想起要素の変容

	非認知者	認知者	差
小樽運河	30.4%	35.7%	＋5.3p **
ガラス細工	8.2%	15.0%	＋6.8p **
寿司	10.3%	11.8%	＋1.5p
赤レンガ倉庫	7.3%	7.0%	－0.3p
北海道	8.3%	5.5%	－2.8p **
石原裕次郎	7.7%	5.7%	－2.0p **
オルゴール	3.7%	5.3%	＋1.6p **
夜景	3.6%	4.2%	＋0.6p
ルタオ	0.0%	6.1%	＋6.1p **
美味しい	1.8%	3.6%	＋1.8p **
石原裕次郎記念館	2.9%	2.4%	－0.5p
海鮮	2.2%	2.7%	＋0.5p

*：p 値＜0.05, **：p 値＜0.01

どのような影響を与えているかを確認します（表4-9）。

まず先に見たように小樽と聞いて「ルタオ」が想起される側面もあり、小樽の想起要素として全体で三・四％の想起が得られていました。すなわち地域産品自体が地域ブランドを構成する要素として消費者のマインドに組み込まれ、地域の魅力を高める役割を果たしています。ルタオの認知者は同地域で出現率首位の「小樽運河」のほか、観光関連の要素「ガラス細工」「オルゴール」と「美味しい」の語を有意に高く想起しています。

これらは運河からメルヘン交差点に連なる要素のうち、意味の文脈においてもルタオに近い想起要素だと捉えられます。逆に「石原裕次郎」はマイナス側で有意な差が現れました。ルタオの認知者にとって地域ブランド「小樽」のなかで、意味的にもメルヘンから遠い裕次郎の占める位置は相対的に小さくなっていると理解されます。この点から地域産品ルタオのマーケティング活動は、小樽の地域ブランドの意味内容を裕次郎からメルヘンのほうへといっそう牽引する影響を与えているといえます。

†地域の誇りとなる産品へ

観光客の需要に応えるために作られた土産物などの商品や店舗は、地域の景観、暮らしにも影響を与えます。通り過ぎる旅行者の視点から地域をエキゾチックに眺める〝観光のまなざし〟によって地域が変わっていくことは、住民にとって必ずしも望ましい事態ではありません。観光の商品・サービスが住民の暮らしから乖離しているほど、住民の日常の生活世界は、よそよそしい景観に囲まれてしまうことになります。メルヘン通りのある小樽観光の中心部、堺町のあたりを地元では〝観光出島〟とも呼ぶようです。住民は、観光商品の拡大を文化的な侵略として厭う傾向があるといえます。

ただし逆に、観光の商品に囲まれる住民の不幸は、商品が地域住民の生活のなかに位置を持つことによって軽減、解消されていく可能性があります。たとえば長崎のカステラは、一七世紀にスペイン、ポルトガルから出島を通じて伝播しました。比喩抜きの帝国主義由来で侵入したカステラの存在を、いま不幸に思う長崎市民はいません。福砂屋、松翁軒など同地の事業者の永い歴史的な努力により、また消費者である住民の吟味を経て、カステラは品質を高めてきました。現在は地域ブランドの中心のひとつとして、むしろ地域住民のアイデンティファイの対象となっています[(1)]。

ルタオは小樽への進出以来、チーズケーキの一つから配送料無料で小樽市内の家庭まで商品を届けるサービスを実施しています。これは、坂の多いこの地で買い物に不便のある高齢者などにも洋菓子を楽しんで欲しいとの配慮からなされています。また地域住民を対象とした菓子づくり体験教室や、児童・老人福祉施設への商品の提供も実施しています。

これらの活動により、ルタオとその商品は小樽住民に歩み寄っていきます。活動が継続して地域での経験が積み重なれば、道外企業による、通り過ぎていく観光客向けの商品ではなく、チーズケーキは小樽市民のふだんの暮らしを豊かにする存在になります。

地域外の消費者に向けた地域ブランド、地域産品は地域の生活世界から遊離するおそれがある。しかし地域の協働のいとなみが関われば、商品や店舗のたたずまいは住民の幸せな暮らしの記憶に繰り込まれていきます。

小樽の風景と記憶は、アイヌ語の地名を基層に前近代の蝦夷地統治、和人による開拓、港湾産業都市、金融街など、それぞれの時点での住民の実践の歴史が層をなして作られて

表4-10「福岡」地域ブランド想起要素

区分	想起要素	出現率
地名・交通	博多	22.9%
メニュー・加工食品	明太子	20.8%
メニュー・加工食品	博多ラーメン	18.0%
デスティネーション	屋台	12.4%
デスティネーション	中洲	7.3%
コンテンツ	ホークス	5.6%
地名・交通	天神	5.1%
行事・イベント	博多どんたく	4.7%
メニュー・加工食品	もつ鍋	3.2%
デスティネーション	福岡ドーム	2.8%
評価・感情	美味しい	2.4%
地名・交通	九州	2.3%

います。小樽運河は外部との交易の必要によって作られたものでしたが、市民の活動で守られた歴史を経て、いまは地域の誇りとなりました。

ルタオのケーキ宅配のような活動は、住民の日常生活との架橋をはかる実践であり、地域における多層的な記憶の共同体を形成するはたらきがあります。その実践が歴史を経るにつれ運河とともにチーズケーキは、住民のアイデンティティにいっそう組み込まれて、未来の小樽の住民たちの誇りとなっていくはずです。

†福岡ブランドと博多の食文化

福岡のブランド知識の要素を示した表4-10を見ると、消費者のマインドのなかで「福岡」は、「博多」の「美味しい」食文化が中心となっています。「もつ鍋」を味わい、「中洲」

の「屋台」で一杯飲んで「博多ラーメン」を食べ、「明太子」を土産に買う。その博多があるのが福岡であると記憶されています。

博多は商人の街、福岡は城下町で隣り合う地域であり、また行政区分としては福岡市、福岡県が博多区を包摂する関係です。一方で福岡の代表的な一次産品である「あまおう」「万能ねぎ」も、いずれも「博多」の名を冠しています。こと地域ブランドにおいては、県名・市名を独占した福岡よりも、博多のほうが優位のようです。

†茅乃舎が打ち出す直販・高付加価値・地元の旗

福岡の株式会社久原《くばら》本家の「茅乃舎」は、もとは小規模な醬油会社が始めた事業です。二〇〇五年、福岡県久山町に藁葺《わらぶ》き屋根が印象的な自然食レストランを新たに建てたのを機に、あご（とびうお）が特徴のだしパック「茅乃舎だし」を中心とした事業が拡大して、同社は推定二〇〇億円の事業規模になりました。

同社の河邉《かわべ》哲司社長は「顧客に対してより良いことをする」「より美味しいものをつくる」という経営理念を持っています。その理念に由来して茅乃舎の事業には三つの特徴が現れます。消費者への直接販売、高付加価値商品、そして地域ブランドです。

顧客にとってより良い商品であるためには、顧客からの反応を常に把握し続けなければなりません。主力商品のだしパックの発売前に建てた自然食レストラン「茅乃舎」には四億円が投資されました。その店は顧客の顔と声に触れて商品開発を行う拠点としても機能します。

茅乃舎の販路は商業施設インショップの直営店事業とダイレクトマーケティング、消費者への直接販売にほぼ限定されています。顧客の声がダイレクトに、かつ経常的に得られるチャネルを選択し、顧客からの反応をフィードバックすることで同社の商品・サービス・品ぞろえは進化します。

より美味しいものという方針を取ると商品の原料も精選されます。結果的に値付けは高くなり、おのずと限られたターゲットに高付加価値の商品を売るビジネスになります。実際に茅乃舎だしは、ナショナルブランドの商品よりも、一パックあたり一・二倍から二倍高い値付けがなされています。高価な原料を使って売価を高く設定すれば、すなわち高付加価値商品が成立するかというと、もちろん現実の市場はそんな仕組みにはなっていません。競合品より高い値付けを正当化できる、消費者が納得する理由が必要です。

同社が高付加価値商品を実現する基盤は、直販による価格維持と顧客との相互作用によって高められた商品品質ですが、地域ブランドもまた値付けを正当化する役割を果たしています。福岡市近隣の農村、久山町の自然食レストランの藁葺き屋根の店舗外観はパッケ

表 4-11「茅乃舎」認知による「福岡」想起要素の変容

	非認知者	認知者	差
博多	23.2%	22.4%	−0.9p
明太子	19.0%	24.5%	+5.5p **
博多ラーメン	17.7%	18.5%	+0.8p
屋台	12.0%	13.1%	+1.1p
中洲	7.5%	6.7%	−0.8p
ホークス	5.5%	5.6%	+0.1p
天神	4.8%	5.6%	+0.7p
博多どんたく	4.4%	5.5%	+1.1p
もつ鍋	2.7%	4.1%	+1.5p **
福岡ドーム	2.5%	3.4%	+0.8p
美味しい	1.9%	3.4%	+1.4p **
九州	2.4%	2.2%	−0.1p

*：p 値＜0.05, **：p 値＜0.01

ージや広告でアイコンとして活用され、その地・その店から生まれた商品であることが訴求されて「茅乃舎」商品の安心感、稀少性、高品質を保証します。

茅乃舎以外の久原本家の事業、明太子などを売る「椒房庵《しょぼうあん》」は、「博多」発の商品群というポジショニングで、広く知られた同地の食文化を中心とした地域ブランドの恩恵を受けています。このような地域に根差した、地域ブランドを利用した商品づくりを河邉社長は「地元の旗を立てる」とも表現しています。

地元とはいっても商品原料の産地であるとは限りません。明太子の原料魚卵の国内産地はもちろん北海道ですし、だしパックに使う「あご」は水産統計によれば主に長崎・鹿児島・島根・石川などで揚がっており、福岡の漁獲量は全国四七都道府県中で二八位、主要産地とはいえません。「地元の旗」は福岡・博多で食べられている、あご出汁やからし明太子の〝食文化の地元〟であることに由来します。では茅乃舎が掲げた地域の食文化の旗は、地域ブランドにどのような波及効果をもたらしているか。

「茅乃舎」を知っている消費者は、地域ブランド福岡から「明太子」「もつ鍋」「美味しい」を有意に高く想起しました（表4-11）。同じ博多名物の食品でも博多ラーメンの出現の差分は小さく、明太子・もつ鍋の出現率が認知者で特異に高くなっています。

そうなっている原因は茅乃舎認知者が接触した茅乃舎のマーケティング活動から推定されます。久原本家のだしパックと並ぶ主力商品は椒房庵の「明太子」であり、また冬季に「もつ鍋」のセットを新規顧客獲得商材としてメディア展開しています。同社では博多ラーメンの扱いもありますが、クロス商品の品ぞろえのひとつの位置づけです。

久原本家の高付加価値への志向からは、おのずと安価な博多ラーメンではなく、明太子・もつ鍋のほうが品ぞろえの主力に選択されることになります。「茅乃舎」の活動の波及効果により消費者は「福岡」および博多について〝美味しい明太子やもつ鍋〟をより想起するようになって、「福岡産」の地域ブランド、博多の食文化の付加価値を高めています。

2 地域産品を起点とした地域発展へ

†地域の記憶を共有する

各地の例で見たように消費者のマインドにある地域ブランドは、気候や地形など自然的条件とともに、それぞれの地域住民の歴史的な実践の蓄積によって成立していました。地域産品は地域ブランドの恩恵を受けつつ、そのマーケティング活動は住民のいとなみのひとつとして、地域のブランド知識を形成する影響関係が認められました。

地域産品自体が想起要素となる、地域ブランドをポジティブな方に牽引する、産品の魅力を高めるなどの波及効果が見られました。さらに地域内の他の産品や観光など他産業の発展への寄与、近隣地域の産業への積極的な影響も確認されています。

実践の視点では、地域ブランドが地域産品のマーケティング活動によって作っていけるという点は重要です。本章で確認した事業者たちは地域や顧客への思いをもって、既存の地域ブランドや産品、食文化、自然的条件などを元手として、自社の地域産品の市場導入をはかりました。その結果として地域ブランドの想起要素、価値への波及効果が得られています。地域ブランドは地域産品のマーケティング活動で、内容を豊かに変え、価値を高めていけます。

地域側の意志にもとづく産品を届ける活動によって、地域の歴史、産品、暮らしなどについての知識が消費者の側に共有されるようになる。それにつれて地域は、そこに住んでいない消費者たちにとっても懐かしい、たいせつな場所になる。地方と都市の消費者に、距離を超えた記憶の共同体が形成される。また消費者は地方のいとなみが生んだ産品をありがたいものだと思うようになっていきます。

†地域ブランドの形成可能性と主体

地域ブランドの研究者が共通してあげていたように地域ブランドに取り組む自治体や公的団体には予算限界が立ちはだかります。不足する予算をブランディングに注いでも、期待した価値向上は得られぬまま、尻すぼみとなる結果を招くことになります。しかし地域ブランドは自治体以外には供給しえない財ではなく、また人為の及ばない存在でもありません。

今回対象とした五つの地域では、地域の事業者の意志のある営為が、地域産品を売るマーケティング活動を通じて、地域についての記憶をいっそう豊かなものにして地域ブランドの価値を向上させていました。

公的セクターの予算ではなく、事業者の収益が原資であれば持続的な投資が可能です。また第二章で見た消費者側の共同性志向が地域産品全般のマーケティング活動を後押しします。営利目標と地域貢献への意志を持つ事業者の活動をエンジンとして、事業収益を燃料に、地域産品を販売しながら持続的に地域ブランドの価値向上を推進できます。

権威が定まった世界的なプレステージブランドであっても、おのずと自然に生じたのではなく、事業主体のマーケティング活動によってブランド価値が形成されています。また広く消費者が認めているナショナルブランドの価値も基本的には、ブランディングの活動によって成立したものではありません。資生堂・TOYOTAは強力なブランドですが、広告投資の大半は、ブランディング活動ではなく、具体的な商品を売るマーケティングの実践のほうに注ぎこまれて、結果として強い傘ブランドが成立しています。

商品を売るのはまずもって商品のマーケティング活動です。地域のブランディングだけでは地域の商品は売れませんが、商品を売れればいずれ商品は売れます。その波及効果が地域ブランドの価値を高めることは調査で確認されました。地域産品を販売し、同時に地域ブランドの価値を持続的に高めるために、地域産品のマーケティング活動が実践されるべきです。

価値が向上した地域ブランドを利用する事業者が続発すれば、地域産業全体が成長します。さらに原料供給や加工、関連する事業者も含めた産業集積の形成も期待されます。実際にここで取り上げた各地の事業者の活動は結果的に、近隣地域の産業振興に貢献していました。

地域ブランドの持続的な価値向上、ひいては地域産業の育成の視点に立てば、地方自治体は地域ブランドを直接に形成する以上に、地域ブランドを利用する地域事業者による地域の商品のマーケティング活動を手助けするインキュベーション施策(2)に重点を置いたほうが望ましいであろうと考ええます。

(1)長崎の活水女子大学の仮屋園璋《かりやぞのあきら》氏は長崎市民を対象としてカステラの嗜好性を調査し、次のように報告しています。「すなわち、小学生、大学生は男女共、一般に相対的にカステラを好きとする嗜好性が著しく高かった。とくに小学生、ほかに高校男子の場合も著しく高かった。また一般市民では、二〇歳代は男女共カステラを好きとしているが、三〇歳代はさらに嗜好性が高かった。とくに女子の場合は著しく高かった。四〇歳代は二〇歳代より嗜好性が高く、五〇歳代では男女共著しく高かった。六〇歳以上においても、男女共可成り高い嗜好性を示し、とくに男子は著しく高かった。要するに、総じて長崎市民のカステラに対する嗜好性は、ほとんど大部分の層に支持され良好で、高いことがわかった」

(2)近年、活発になっている各自治体の「地域商社」の取組、地域産品の販売をうながす活動は、地域産品の販売を支援するインキュベーション施策として有意義であると考えます。

第五章

地域間の気持ちをつなぐ——持続的な関係の形成へ

地域ブランドの価値付与の助けもあって、地域の産品が消費者に首尾よく買ってもらえたとします。そこで購買が初回だけでおしまいになってしまうのなら、地域産品の事業は離陸に成功したとはいえません。初回の購買はスタート地点、消費者にリピートして購入してもらうことで事業は成長します。ふるさと納税の返礼品の場合は後述するように、いっそうリピート購入が求められる理由があります。

適切なリピート促進の施策がなされ、地域産品の反復的な購入が続けば消費者の意識のなかに、地域を大事に思う気持ちも生じます。買い手に形成された地域との気持ちのつながりは、産品の市場導入の可能性を高め、地域全体の産業発展の基盤となります。

では消費者を地域産品の持続的なリピート購入に誘導するため、地域への愛着を喚起するために、どのような働きかけを行っていけばよいのか。この章では理論的な検討と調査分析を踏まえて、具体的な施策の開発方針の導出を試みます。

1 リピート購入をうながすリテンション

†重要性を増すリテンション施策

マーケティングでは、初回の商品購買を得る活動はアクイジションで、二回目以降のリピート購入をうながす活動はリテンションと呼ばれます。この区分は以前からあったのですが、近年はいっそうリテンションの重要性が注目されるようになりました。

商品を消費者に買ってもらうためには、営業費や広告費などのマーケティング費用が掛かります。購買獲得に必要な費用は、初回と二回目以降では大きく異なります。一般に初回の商品購入の獲得と比べて二回目以降の購入は、マーケティング費用が格段に低いと知られています。商品によって違いますが、購買あたりの販売費は初回に対して二回目以降は五分の一以下のコストで済むとも言われています。

初回の購買客を持続的な再購買に誘導すれば累積客単価、顧客のライフタイム・バリューは高まり、事業の収益性が向上します。費用をかけて獲得した消費者を一回の購買だけに終わらせない、むしろ二回、三回と反復して買って貰わなければ、事業の採算さえおぼつきません（図5-1）。そこでリピートを促進するために初回購入者へのくわしい商品説明、複数回購入特典、会員登録による囲い込み、ポイント制などのリテンション施策が投入されます。

図5-1　リピート購入と収益

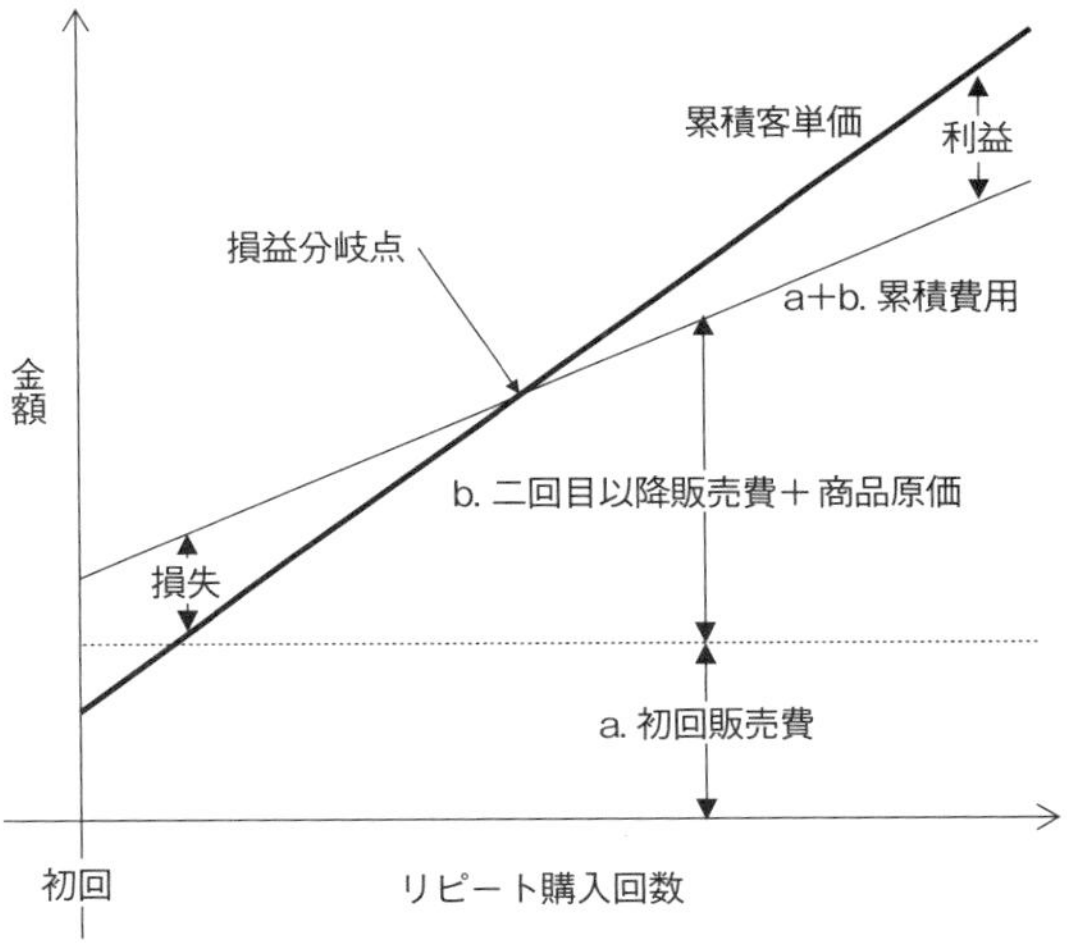

リピート購入に誘導するリテンションの施策が十分に有効であるためには前提として、顧客が購買履歴で識別され、またそれぞれの顧客にアプローチできる手段が必要です。商品を買ったのが初めての客か二回目か、何度も買っている上得意客なのかが分かって、それぞれに対して適切に対応がなされれば、商品の継続的な購入へと誘導で

図5-2　二つのマーケティングファネル

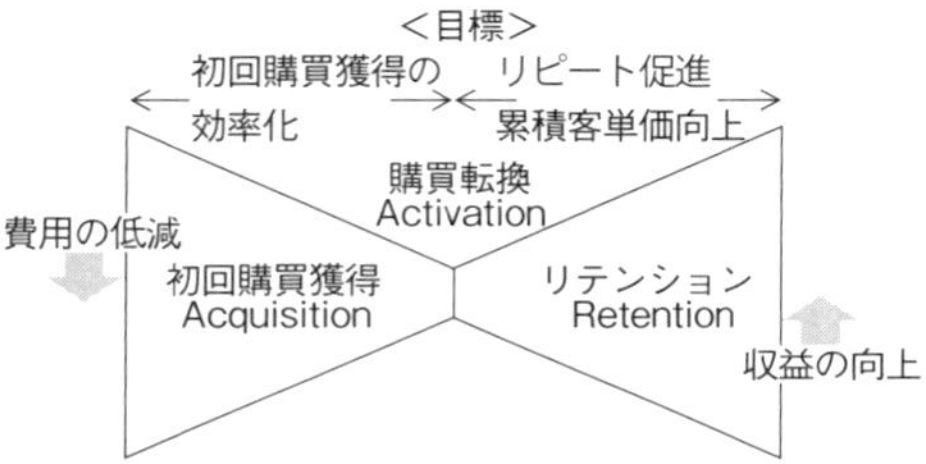

きます。
識別とアプローチの手段が調達しやすい事業者間のB to B事業、サービス業、流通業などの分野では従来から、初回購買と二回目以降の購買の区分が顧客データベースで把握され、上得意客への優待やポイント制などマーケティング上の対応がなされています。
ただし店頭で販売される一般消費財のメーカーは、多くの場合は顧客のデータベースを持っていませんでした。そのため消費財のマーケティングでリテンションは、商品発売以降のタイミングとしては意識されるものの、個人客を区分してアプローチするレベルまでには、なかなか至りませんでした。
最近ではコミュニケーション技術の発展によって、一般消費財事業でもリテンション施策が展開できる現実的な基盤が成立しつつあります。EC、顧客データベースを用いて、SNSや電子メールなどネット媒体を経由して、リピート購入を狙うマーケティングが実践されるようになっており、顧客との持続的な関係を結ぶためのリテンション施策の取組みの重要性が高まっています。

デジタルマーケティングの分野ではよく、消費者へのアプローチから商品購買転換までのステップをファネル（じょうご）のモデルを使って示しますが、通常の場合は一つのファネルで図示されます。アクイジションとリテンションをはっきり区分したこれからのマーケティングでは、向かい合った二つのファネルとして図5-2のように捉えるべきではないかと考えています。初回購買獲得の局面では、一人あたりの獲得費用の抑制がはかられ、初回の購買ののちは収益を向上させるリテンション施策が展開されます。事業の収益性の点から、消費者から初回購買を得たあとのリテンションはとても重要です。

†ふるさと納税とリピート購入

ふるさと納税の返礼品となる地域産品の場合は、一般消費財以上にリピート購入を促進しなければならない、リテンション施策に取り組むべき特別な理由があります。この場合のリピートは寄付の見返りの返礼品として繰り返し届けるのではなく、二度目以降は代金を支払う商品として購入してもらわなければなりません。返礼品を機とした商品としてのリピート購入は、まず地方の事業者の存続と成長のために必要であり、またふるさと納税制度の正当性にも関わります。

リピート購入の促進を怠る事業者には、恵まれた返礼品需要によって成長性が失われる危険性があります。通常の商取引においては代金を支払う消費者の評価が商品の品質を高めて、事業を成長させる動因となります。返礼品の場合は、ただ同然で制度の利用者に届けられており、価格と品質に対する消費者の厳しい判定の目にさらされていません。市場での評価から逃れ、公費に依存して自治体の買上げを待つ事業構造は成長の可能性を蝕んでいきます。

ふるさと納税は現時点では地方の自治体にも支持がありますが、第一章で検討したような基本的な問題を抱えた、とても不安定な制度です。二〇一九年度からの返礼品還元率の上限設定のように、制度改定によって返礼品の需要環境も変わります。制度自体がなくなることも十分に考えられます。制度が廃止されて返礼品買上げがなくなっても、リピートして買ってくれる顧客が残れば事業の存続を支える資産となります。

事業成長を望む地方の事業者にとっては、ふるさと納税は降って湧いたチャンスです。返礼品として届けられる地域産品は初回の購買に掛かるマーケティングコスト、図5-1のaの初回販売費が税金で肩代わりされています。これによって累積費用線は下がり、損益分岐点が大きく左下に移行して、リスクのある市場導入時の事業採算がずいぶん楽になっています。地方の事業者が事業の存続、さらに成長を願うのであれば、ふるさと納税制度を奇貨として、返礼品を届けた制度利用者をリピート購入する顧客に変えていくリテンション施策に取り組まなくてはなりません。

また返礼品の事業者が得ている公的な支援は、地域からの産品の販売を助けるインキュベーション施策、産業政策としての意義があります。その返礼品の買上げの原資は、第一章の図1-1にあるように、国民が納める国税と利用者の居住地の住民税です。自治体・事業者がこの機にリピート購入を求めることをしないのであれば、返礼品に税を投入する意味は大きく損なわれます。制度の意義からも、利用者による地域産品のリピート購入をうながすリテンション施策が実施されなければなりません。

地域事業者の存続と発展、地域産業振興のためにもリテンション施策を行うとして、リピート需要を創造して地域産品を持続的に購入してもらうためには、どのような働きかけが有効なのでしょうか。

2　お返しのマーケティング

†また来たい喫茶店

あのカフェは散歩の際の通り道なので何度か訪れた。先日その店に行った際、店主が

「あ、いらっしゃいませ」と声をかけてきた。「あ、」の一言で向こうも自分を認識していると知れた。店主と言葉を交わすわけではないが、なんとなく馴染みになった気もするし居心地も悪くない。店主は年配で古い店だが、潰れないで続いてくれるとありがたい。他にも紅茶のおいしい店はあるが、これからもあの店に寄って時間を過ごそう。

こういう顧客の心の動きを「コミットメント」とも呼びます。コミットメントの概念は、心理学・社会学・経営学などで、それぞれに用法があるようです。本書では社会学者のブラウのフレームに従い、関係する相手から得られる利益ではなく、相手との相互作用のある関係の存続自体を目的的に願う心理的な傾向として捉えることとします。顧客がこのようなコミットメントの意識を商品の提供者に対して持てば、リピートは安定的なものになり、マーケティング上の大きな意義があります。

もっと積極的にはコミットメントは、経済学者のセンがいう「善き生（well-being）」についてのある人の感覚が、心理的にある他人の厚生に依存している」状態であるともいえます。つまり相手が喜ぶことが自分の生きがいのひとつであるという、理想的な恋愛関係のような心のありようです。リテンションのマーケティングでは顧客との関係構築について、出会い・求愛・交際・結婚・浮気など、恋愛の比喩を使って語ることが多いのですが、ブラウもまたコミットメントは「相愛の関係に典型的」に現れると指摘しています。

もちろん地域、地域産品と顧客のあいだにもリテンション施策によってコミットメントは形成できます。相愛関係ができてしまえば、地域と顧客との関係は確かなものになります。あの地方について情報を見かけるとつい見てしまう、あの地域が元気だとなんだかうれしいなどの地域への愛のコミットメントは、地域から届ける産品の継続的なリピート購入の基盤となります。

地域、地域の事業者は、地域産品の販売やふるさと納税の返礼品の取引を通じて、顧客との気持ちの絆をどうつなぐか、どうすればコミットメントのある相愛の関係を築いて継続的なリピート購入へと導けるか、まずは原理的な検討を行います。

商品の持続的な購買、顧客との関係性にかかわる代表的な研究分野は「リレーションシップ・マーケティング論」です。その理論の基盤には文化人類学、社会学の「交換理論」があるとされます。リレーションシップ・マーケティング論や交換理論が交換主体間の関係をどう把握するか、本章の問題意識に関連する範囲で確認していきます。

†顧客愛着のマーケティング

マーケティング研究において一九八〇年代以降、リレーションシップ・マーケティングが提唱されてきました。二〇〇〇年代に入ってインターネットの拡大、およびEC、スマートフォン、SNSの普及などにより施策投入が容易になるとともに顧客との関係形成の重要性は増して、いっそうリレーションシップ・マーケティングは注目されています。

この分野での代表的な研究者である久保田進彦《ゆきひこ》氏はリレーションシップ・マーケティングを定義して、「顧客との間に「リレーションシップ」と呼ばれる、友好的で、持続的かつ安定的な結びつきを構築することで、長期的にみて好ましい成果を実現しようとする、売り手の活動」と述べています。この定義にも表れるように、リレーションシップ・マーケティングの意義は個別の購買ではなく、売り手と買い手の持続的な関係性、両者の相互作用に注目した点にあります。

リレーションシップ・マーケティングの起源のひとつは事業者間の取引、B to Bの生産財マーケティングです。生産財市場においては商品の複雑性や取引企業間の業務連関特性などから、一時点での条件による取引先選定ではなく長期的・安定的な取引が望まれる傾向があります。これにより、取引のある企業主体間の関係性、相互作用に留意したマーケティング計画が必要になります。このようなB to Bの取引関係の研究が一般消費財にまで拡張されていきました。

消費財のほうのマーケティングで用いる基本概念の4P・Product, Price, Place, Promotion、STP・Segmentation, Targeting, Positioningは、持続的な取引の視点、消費者と

の相互作用は必ずしも重視されていません。マーケティングは収益の増大を目的とする事業者を主体に実践されるため、消費者の側は基本的に行為主体として扱われず、アプローチの対象、客体としてのみ捉えられがちでした。

リレーションシップ・マーケティングでは消費者は、単に入力に対して購買のアウトプットを示すだけではなく、主体的に行動する存在と把握されます。消費者は商品を買うだけでなく、主体的な情報収集や口コミなどのコミュニケーション活動をなし、ときに企業に対してクレームや要望などの働きかけも行う、相互作用の相手と位置付けられます。

購買関係、相互作用が繰り返されるうちに、売り手と買い手のあいだに関係性、リレーションシップが形成されていきます。そのリレーションシップとは何か。リレーションシップの形成には「信頼とコミットメント」が重要な媒介変数となると言われています。消費者のもつ事業者への信頼は、購買の際の商品価値の不確実性を縮減します。この会社の商品だったら、以前にも買って悪くなかった。また買っても変なことにはならないだろう。こういう心の動きが「信頼」といえるでしょう。

初回購買の経験を経て、顧客が当該商品の提供者が信頼できると感じられるのなら反復購買、さらには同一事業者の他の商品を選択して、買い物の取引費用を減らせる。ただ信頼の概念の範囲にとどまるのなら、顧客の提供者への気持ちのつながりのありようを十分に表現しているとはいいがたいようにも思えます。

この点について消費者行動研究の新倉《にいくら》貴志氏は「期待された概念はリレーションではなく、リレーションシップである」と指摘し、継続的な取引の基盤となる「精神性をも考慮すべき」と留意をうながしました。そのうえで顧客のリレーションシップの対象となるブランド価値について理性的・実用的な評価だけではなく、ブランドへの一体感や粘着性を持つ愛着にまで至るモデルを示しています。

前述の久保田氏もまた、交換する主体のあいだには価値の交換としての関係が存在するだけでなく、「愛着や親しみといった言葉で表される、より精神的な結びつきも存在する」と主張して、リレーションシップには「交換的側面」「共同的側面」の二つの側面が同時に存在すると述べています。

交換的側面が提供者や商品の価値への信頼だとすれば、共同的側面とは何でしょう。リレーションシップは互恵的交換と約束履行の相互作用を経て形成されるものでありながら、「約束を超えた」側面を持つと久保田氏は指摘します。さらに交換相手との一体感を基盤とした感情的なコミットメントは、売り手に対して必ずしも見返りを期待しない「奉仕行動」をみせる場合さえあり、それが共同的側面として位置づけられると述べます。

市場での交換のなかで、売り手との一体感や利得に関わらない支援行動のような、商取引を超えた強いコミットメントが顧客の側に生まれてくるのはどうしてでしょうか。リレーションシップ・マーケティングの理論基盤となった交換理論によって検討します。

†贈りあう関係の結びつき

社会学、文化人類学のモースは主著の『贈与論』で、交換関係を象徴的に示すスカンジナビアの古詩を引いています。

「贈り物をもらったら贈り物でお返しせねばならない」
「武器や衣服を贈りあい、友人どうしは互いに相手を喜ばせなくてはならない」
「互いに贈り物をし合っていれば、末永く友人である」

この詩は、ひとつには贈与に対する「返礼の義務」を表しています。さらに物品を贈りあう関係が、自己目的的で持続的な結びつきを形成することを示しています。

モースが研究したのは貨幣経済が成立する以前からあって、また現代の社会にも存在している交換の原理でした。ポリネシアなど世界各地の事例を検証したうえで、交換における返礼の義務の原理の普遍的な存在と、物品をやり取りする主体のあいだを結びつける結合の機能が交換にあると主張しました。

現代の市場での取引も返礼の義務と同様の規則があります。商品は代金と引き換えに交換されており、商品を受け取るなら支払いの義務があります。しかし交換する相手との結合のほうは、商品の購入によってただちに生じるわけではありません。コミットメント、主体間の結びつき生成の理解には別の視点が必要です。

†交換と相愛関係

社会学者のブラウは、モースらに示唆を受けて「社会的交換」の理論を唱えました。これは個人や集団のあいだの相互作用を「交換」の概念で説明するもので、貨幣や商品など一般的な財の取引を経済的交換とし、尊敬や社会的評価など経済的ではない〝財〟の取引を社会的交換として捉えます。

経済的交換では代金と商品が交換され、社会的交換では愛や信頼の社会的報酬が相互に交換されることになります。市場の交換で代金の支払いが義務であることと同様に、人格的な社会的交換においても、たとえば与えられた恩義に対して返礼がないことは社会的にも恩知らずとして評価されて、その後の関係が損なわれます。

異性から愛を告白された際、つまり社会的な〝財〟の提供を示されたときに、無視するのではなく何らかの返答をしなければならないという気持ちになってしまう場合がありえます。申し出を断るにしても面倒な感情、心理的な負荷は発生します。これは求愛されている側に内面化されている返礼の義務の規範にも由来します。友人や同僚からの信頼に対しては、同じく相手への信頼や信頼にふさわしい行動で応えなければならないと思ってしまうのも同じ心の動きといえます。

ただし社会的交換は交換される財が定量的に計測できない点、返礼が厳密には義務付けられていない点で、等価交換を原則とする経済的交換とは異なります。市場での取引では税込み九八〇円の値札のついた商品は、代金の九八〇円を支払わないと交換できませんが、社会的交換の場合はそうではありません。愛の供与への返報は必須の義務ではありませんから求愛のアプローチは断ってもかまいませんし、相互の信頼も等価の関係にはありません。この点が経済的交換とは違います。

こういった愛や信頼の社会的交換は、市場取引における貨幣を介した経済的交換に付随しても起こりえます。経済的な交換にともなって非経済的な財を交換する社会的交換が実践されるのは、むしろ商取引において常態であると考えてよいでしょう。この節の冒頭で挙げた古いカフェの事例では、紅茶とサービスの提供に対する代金の支払いの経済的交換に付随して、感じのよい店主から来店者への認知と適切な歓迎が供与され、顧客の側には他ではなくこの店にまた来たいというコミットメントが発生しています。

相手との交換が続くうちに「交換のパートナーにコミットするようになり、それ以上の探索を中止する傾向がある。」とブラウは指摘します。そういった関係においては交換する物品・サービスではなく、「過程そのもので満足を得ている」、つまり相手との交換関係自体を目的とした行動をとるようになるとも述べています。社会的交換論は、経済的交換にともなう社会的交換から、主体のあいだに経済合理性を超えた結合の関係が形成される見通しを示しています。

†コミットメントを喚起する不等価交換

交換理論に示唆されて民俗学の伊藤幹治《みきはる》氏は、社会的交換と経済的交換の背後にあって、それらを総体として規定する原理として互酬性があると整理します。

その互酬性は交換における普遍的な原理であり、財を贈る側に返礼への期待が、贈られる側には返礼の義務が発生し、お互いに交換する財を等しくしようとする「均衡原理」が働いているとされます。経済的交換で九八〇円の商品の購入に九八〇円の代金支払いが必要であるのはこの原理に由来し、社会的交換でも貰ったプレゼントや好意へのお返しは、なるべくつりあうようにと考えてしまうのも均衡原理の働きです。

ただし社会的交換では「対称的で無条件に平等な交換」つまり等価交換は、むしろ双方の関係を帳消しにする効果をもたらします。「いずれの側にも「負い目」がないと、両者をつなぐ紐帯はそれだけ弱まり」、相互の関係が維持されなくなるとも伊藤氏は説きます。完全な等価交換が関係を断絶する効果はたとえば、お歳暮にハムの詰め合わせを縁のある方に贈ったとして、即座にお返しとして同じメーカーのハムの詰め合わせが同じ百貨店の包装で届いた際の感情、両者の関係のゆくすえを想像すると分かりやすいかもしれません。

逆に人格的な結合関係の継続を目的として、不均衡な財の交換が規則化されることもあります。関係を維持するための不均衡な交換のルールは、日本の儀礼では結納や香典の「半返し」の習慣などに現れると伊藤氏は例示します。結婚した二人の親族間の交際を親密にするため、あるいは故人のゆかりの人たちとの関係をつなぐために、半返しの習慣によって積極的に不均衡な交換が実践されています。

半返しのような不等価な財の交換では、均衡原理が作用して次の交換を招くことになります。同じ不等価でも逆に過剰な返礼がなされれば、交換される財が相互に昂進していく有名なポトラッチのような事態が起こります。いずれの場合も不等価交換は交換の連続をもたらして、交換する主体間の関係を持続させます。そのなかで交換主体間の社会的結合、リレーションシップ・マーケティングのいうコミットメントが生じると考えられます。

†リテンションの循環

さて、これまでの検討から理解されたところを整理します。

リレーションシップ・マーケティング論では商品を販売する売る手側だけでなく、買い手側もまた主体として捉えられた。いずれも主体である売り手と買い手の相互作用のなかでコミットメントが発生する。交換理論においても交換は、取引する主体の関係を結合する機能があるとされる。

商品と代金の交換のような経済行為だけでなく、愛着や信頼といった〝財〟についても社会的交換として同じ交換概念による把握が可能で、いずれにおいても返礼の義務が発生する。交換には相互の取引する財がつりあうように作用する均衡原理が働く。社会的交換においても交換する財が均衡するような作用が働くが、完全に平等な等価交換はむしろ関係を断絶する効果がある。不等価な交換は連続的な相互作用を起こし、交換主体の関係性を持続させる。不等価交換に端を発する相互作用から、交換関係の継続自体を目的とした共同的な結合の関係、経済合理性を超えたコミットメントが生じる。

このような理解をもとにして、現代のわれわれが顧客のコミットメントをいかに喚起して継続的なリピート購入へと導くかを検討しましょう。

互酬性のモデル（図5-3(a)）とは異なり、現代の市場での交換は均衡原理が支配的で、等価交換が基本となっています。主流派の経済学でいう完全競争市場では、不均衡な交換は淘汰されるとさえされています。取引が商品と代金の交換だけならば、双方に不利のない透明で平等な等価交換であるために、交換の主体間を結びつける働きがなく顧客のコミットメントは起こりません（図5-3(b)）。自動販売機での購入、通りがかりのコンビニでの買い物などは、主体間の結合が起きにくい単なる等価交換の取引に近いでしょう。

図５－３　互酬性と市場での交換

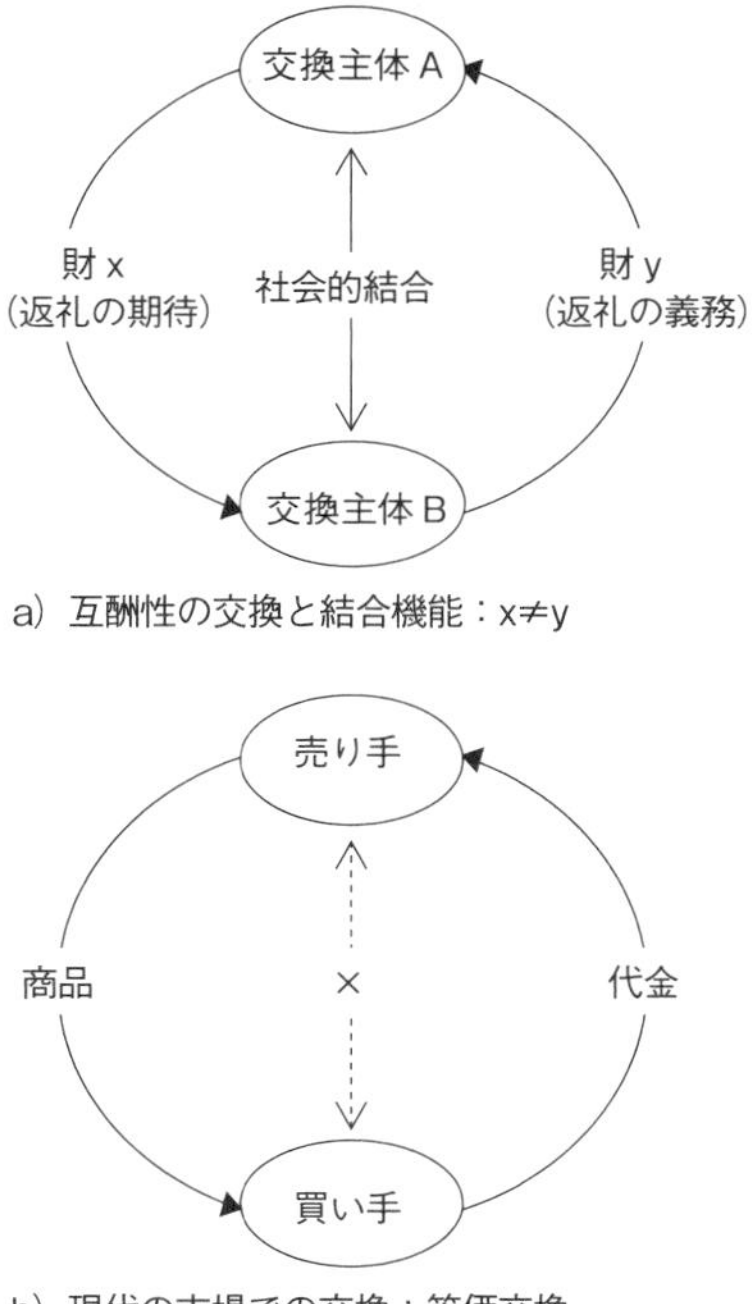

a）互酬性の交換と結合機能：x≠y

b）現代の市場での交換：等価交換

図5-4　リテンションによるコミットメント喚起

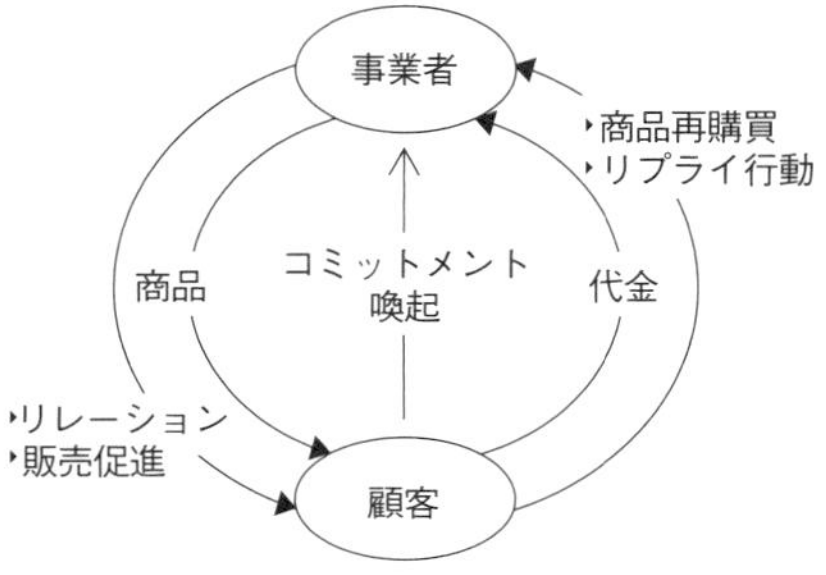

われわれの目標である地域産品のリピート購入を得るためには、等価交換を避ける必要があります。単なる等価交換にならないよう、交換する商品プラスアルファの不均衡を、売り手の側がリテンション施策によって積極的に作りだせば、相互作用の動因となって交換が持続的に循環するサイクルが形成できると考えられます。

　商品のリピート購入を促進するリテンションのアプローチは経済的交換の働きかけに加えて、顧客との社会的な交換を促進する施策が設定しうるでしょう。したがってリテンションの商品プラスアルファの働きかけも、直接的に商品の再購買をうながす「販促施策」だけでなく、販促をともなわず感謝などの社会的な財を提供して顧客のコミットメントを形成する「リレーション」のツールが併せて投入できます。また顧客側からも単に商品購買の反応だけでなく、情報収集の行動やクレーム、商品の感想の提供も含めたリプライ行動がありえます。

これらの過程は、リテンションのアプローチと顧客側のリプライ行動による相互作用の循環として図5-4のように構成されます。この循環によって、リピート購入とその基盤となる顧客の事業者に対するコミットメントが喚起できると考えられます。

事業者側からのリテンション施策のアプローチのうち販売促進の施策は、商品のリピート・クロスによる直接的な再購買への寄与が期待されます。また返礼品の送付にプラスされるリレーションのツールは、あいさつや購買への感謝表明、事業者や商品情報のいわば自己紹介、商品に込めた意志の表現など、社会的交換をうながすアプローチによって事業者への顧客のコミットメントを形成して持続的な購買に導いていく役割が求められます。

こういったリテンションの施策にも手間と費用は発生しますが、前述のように二回目以降の購買あたり獲得費用は初回購買の五分の一以下と言われています。図5-1の(a)初回販売費は、消費者の不信と無関心のハードルを超えるために掛かる費用であるといえます。二回目以降のリピート購入は顧客に信頼とコミットメントが形成されるために、マーケティング費用は少なくて済みます。

†ふるさと納税のリテンションサイクル

ふるさと納税では、利用者が寄付先を自由に選べます。また第一章の調査結果にも表れ

図5-5　ふるさと納税のリテンションサイクル

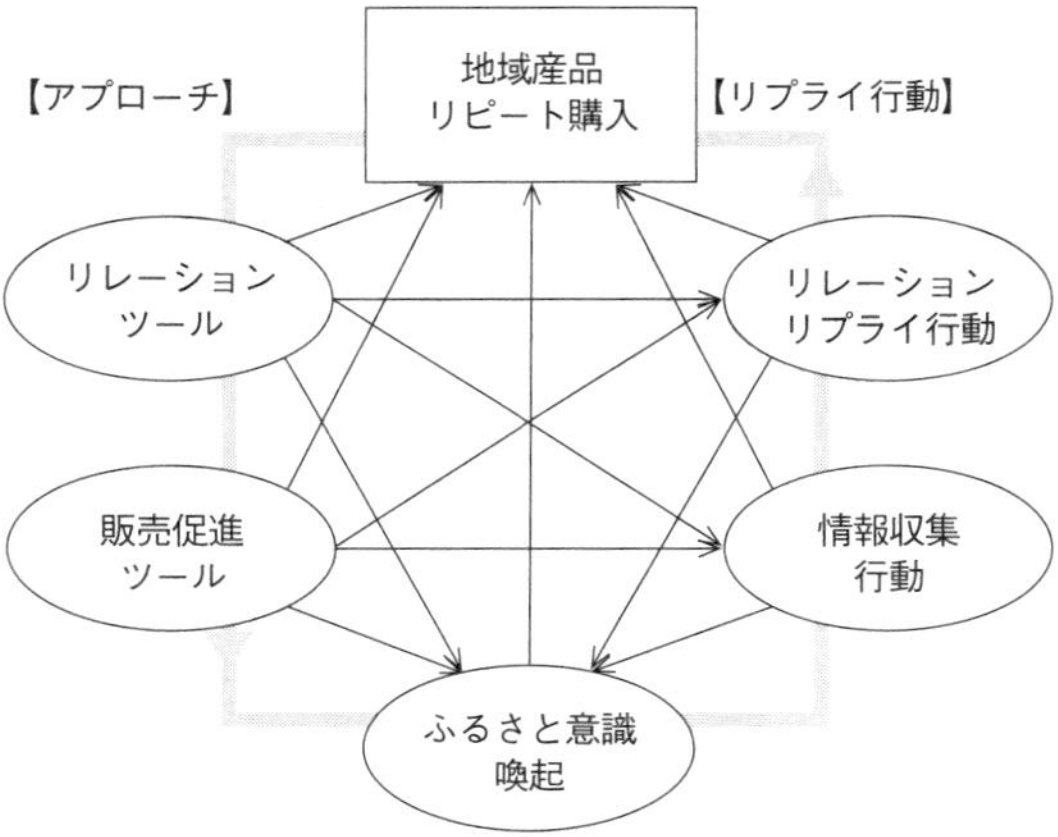

たように現行制度の利用動機は経済的な利得目的が主導しています。返礼品の入手は購入ではありませんが、経済合理性にもとづいて貨幣と交換されている点では経済的交換と同様です。実際にふるさと納税サイトの構成はほぼＥＣサイトであり、利用者が制度を、お得な〝買い物〟の機会として認識しているであろうことは想像に難くありません。

　そのなかにおいても制度の本来の政策目標としては、「「ふるさと」に対する思いの高まり」が設定されています。また地域産業の振興および産品の市場導入のために、返礼品を機とした地域産品の「リピート購入」が求められます。

　この二つはマーケティング目標としては、寄付先地域へのコミットメントの喚起と、リテンション施策によるリピートの促進であると捉えられます。制度利用者のふるさと意識の喚起と地域産品のリピート購入を目的変数の位置に置き、それに影響するリテンションのアプローチと利用者側の行動を配して影響関係を構成すると図5-5になります。

自治体・地域事業者からは、返礼品の送付とともに利用者との関係性を深める、社会的交換促進のためのリレーションのツール、地域産品のリピート購入をうながす販売促進ツールが投入されます。一方でふるさと納税制度の利用者の側は地域側のアプローチに対して、地域や産品に関心を持ってなされる情報収集行動、またお礼状や感想を返信する社会的交換の実践、リプライ行動がなされ得ます。この循環のなかで地域へのコミットメントであるふるさと意識の喚起、産品のリピート購入が得られることが期待されます。

ふるさと納税制度を有意義なものとするためには、地域へのコミットメントが喚起され産品が再購買されるリテンションのサイクルが十全に機能しなければなりません。そこで実際にリテンションサイクルが機能しているかどうか、循環を構成するアプローチ施策とリプライ行動の実施状況および、それらと再購買・ふるさと意識喚起への影響関係を、制度利用者を対象とした調査で確認します。

3　ふるさと納税への取組みの実践と効果

†リテンションツールとしての礼状やパンフ

調査対象者は第一章でも登場した一都三県のふるさと納税制度の利用者、七七八名です。図5-5で示したふるさと納税のリテンションサイクルは、自治体・地域事業者側からのアプローチと利用者側のリプライ行動によって、商品再購買とふるさと意識の形成が得られる構成となっています。そこで調査では利用者にアプローチの各ツールの到達および、リプライ行動の実施を聞きます。ツール到達は利用者対象の調査ベースですから、正確には到達の認識が測定されます。

地域側からのアプローチは四個のリレーションツール、八個の販促ツールの到達を取得しました（表5-1）。リレーションツールは、「お礼状」や「地域・地域産品情報」、また感想返信用ハガキのような「双方向チャネル設定」など、直接に販促にかかわらない施策がここに分類されます。販促ツールは返礼品とともに届けられる返礼品の「販促パンフ」やその他の産品を紹介する「クロス販促」のパンフレット、季節ごとに届けられる「周期DM」など。また電子メールの「e-DM」「メルマガ」のオンラインツールについても到

表5-1　リテンションサイクル各変数の調査項目

■リレーションツール：アプローチ	
お礼状	寄付先から（返礼品などと一緒に）お礼状が届いた
結果報告	寄付したお金の使い道の結果の報告が自治体からあった
地域・地域産品情報	パンフに寄付先の地域や返礼品について説明があった
双方向チャネル設定	寄付先から感想を書くハガキやアンケートが届いた
■販促ツール　オフライン / オンライン：アプローチ	
クロス販促	パンフなどに返礼品以外の産品の購入のお勧めがあった
販促パンフ	返礼品の購入をすすめるパンフレットが入っていた
ギフトパンフ・DM	お中元・お歳暮などギフト利用を薦める内容があった
リピート促進オファー	パンフなどに寄付先の産品がお得に買える特典があった
追いDM	返礼品のあとに地域や産品の情報などのDMが届いた
周期DM	寄付先からの案内が、定期的（季節ごとなど）に届いた
e－DM	寄付先から、電子メールで案内が届いた
メルマガ	寄付先から、定期的に電子メールで案内が届いた
■リレーションリプライ行動：リプライ行動	
感想返信	寄付先に感想や、アンケートを返した
お礼状返送	寄付先にお礼状などの便りを送った
■情報収集行動：リプライ行動	
使途報告情報収集	寄付金の使いみちの結果報告をネットなどで調べた
使途情報収集	寄付金の使いみちについてネットなどで調べた
地域情報収集	寄付先の地域についてインターネットなどで調べた
返礼品情報収集	届いた返礼品についてインターネットなどで調べた

■地域産品リピート購入	
返礼品購入	返礼品でもらった産品を、お金を払って追加で購入した
地域産品購入	寄付先の返礼品以外の産品を、お金を払って購入した
■ふるさと意識喚起	
使途支援意向	寄付金の使いみちについて、もっと支援をしたい
地域支援意向	寄付先の地域がもっと良くなるよう支援したい
地域情報収集意向	寄付先の地域についてもっと知りたい
返礼給付意向	寄付先の地域に対して、何らかのお返しをしたい
寄付先感謝	寄付先に感謝している
地域親近感	寄付先地域や住む人たちを身近に感じるようになった
地域課題知識	寄付先の地域が抱えている問題点などがわかった

達を把握しました。

利用者側のリプライ行動では「感想返送」「お礼状返送」の二つのリレーションリプライ行動、寄付先の「地域情報収集」など四つの情報収集行動を項目として示し、それぞれの行動をとったかどうかを聞いています。

地域産品のリピート購入は返礼品の再購買と、そのほかの地域産品の購買を聞いて、いずれかを購買した場合を「地域産品リピート購入」としています。地域へのコミットメント、「ふるさと意識喚起」は第一章と同じ測定項目です。

分析はまずリテンション施策の到達率と、利用者のリプライ行動の実施率を確認します。次いで施策とリプライ行動間の関係、およびそれぞれの商品購買とふるさと意識形成への影響関係を、共分散構造分析で把握します。

これらの分析を通じて、ふるさと納税の利用者を地域産品の持続的な購買に誘導し、ふるさと意識を高めていくためには、どのようなリテンション施策を展開すればよいのかを検討します。

不十分な地域側の対応

お礼状、商品パンフレットなど、自治体・地域事業者側から利用者にアプローチする各リテンション施策が、どの程度届いているか。調査の結果を表5-2に示しました。

　リレーションツールのうち、寄付に対する「お礼状」は八割を超える利用者に届いています。ただ筆者が確認したお礼状では、担当部署名が記された事務的なものや、自治体首長の署名がある仰々しいものなど、形式もレベルもまちまちでした。

　ふるさと納税返礼品のお届けを機に、地域について、また地域の産品について利用者に知ってもらうことは、制度の意義からいって最優先の課題です。しかし「地域・地域産品情報」の到達率は五五・七％で、利用者の四割強で寄付先地域の紹介が届いていません。

　直接にリピート購入へ誘導する販促ツールは「販促パンフ」が三四・一％、「クロス販促」が三三・三％、三分の二には基本的な販促施策が届いていません。寄付先の地域から届いた段ボール箱に返礼品と送り状が一枚入っているだけというケースも筆者は経験しました。これなどは寄付と返礼品の〝等価交換〟と同様であり、利用者との関係構築を地域の側から拒否する対応だといえます。

表5-2　ふるさと納税におけるリテンション施策の到達率

区分	項目名	(%)
リレーションツール	お礼状	82.4
	地域・地域産品情報	55.7
	使途結果報告	35.9
	双方向チャネル設定	21.2
販促ツール	追いDM	40.7
	販促パンフ	34.1
	クロス販促	33.3
	周期DM	30.1
	ギフトパンフ・DM	24.3
	リピート促進オファー	21.6
	e－DM	42.7
	メルマガ	27.9

返礼品の送付はＤＭや電子メールなどとは異なり、開封率が一〇〇％になるタイミングです。地域の側が、寄付をもらった利用者に地域のことをもっと知ってもらいたい、地域産品を買ってもらいたいと本当に願うなら、返礼品送付の貴重な機会を逃さず地域の紹介や産品の販促リーフレットを届けるべきです。

今回の調査結果を見る限り、現状では自治体・地域事業者のふるさと納税利用者に対するリテンション施策の取組みは、まったく不十分です。

†リピート購入率をアップさせるには

リテンション施策のアプローチを受けた利用者側のリプライ行動の実施率、地域産品のリピート購入率が表5-3です。利用者のうち感想・アンケートなどを返送した「感想返送」の比は一八・六％でした。感想返信用ハガキ同封など自治体側からの「双方向チャネル設定」が二一・二％なので、アプローチ側が不十分な割には高い行動実施率となっています。「地域情報収集」は四一・四％で、「返礼品情報収集」は三四・六％の利用者で実施されていました。リテンションサイクルのなかで、利用者側で主体的な行動がそれなりに起こっています。全体としては経済合理性の動機が主導するふるさと納税制度のなかで、四割程度が寄付先地域についての情報を求めており、利用者の一部では地域へのコミットメントを形成できる基盤がありそうです。

アプローチの施策が投入されて利用者のリプライ行動を起こしつつ、リテンションのサイクルが目標とするのは、地域産品のリピート購入です。返礼品もしくは他の地域産品を買う「地域産品リピート購入」は、利用者の一四・七%で起こっていました。ダイレクトマーケティングなどでの再購買率の相場から評価して、一四・七%という数字はすばらしく良いとは言えないまでも、話にならないというほどに悪くはありません。この実績を基盤に、不十分であった自治体側からのリテンション施策のアプローチを充実させれば、地域産品のリピート購入率はさらに向上できる伸びしろがあります。

表5-3 リプライ行動実施率・リピート購入率

区分	項目名	(%)
リレーション リプライ行動	感想返送	18.6
	お礼状返送	3.7
情報収集行動	地域情報収集	41.4
	返礼品情報収集	34.6
	使途情報収集	16.6
	使途報告情報収集	13.0
地域産品リピート購入（いずれか）		14.7
	返礼品購入	7.1
	地域産品購入	13.0

ここまでに確認したふるさと納税のリテンションサイクルの各要素の影響関係を、共分散構造分析で把握します(図5-6)。モデルの適合は高いとはいえませんが、適合度をしめす指標のうちRMSEAが許容範囲とされる〇・〇八以下に収まっており、変数間の影響関係は把握できると捉えます。

結果を地域側のリテンションのアプローチと利用者のリ

図5-6　リテンションサイクルにおける影響関係（標準化推定値）

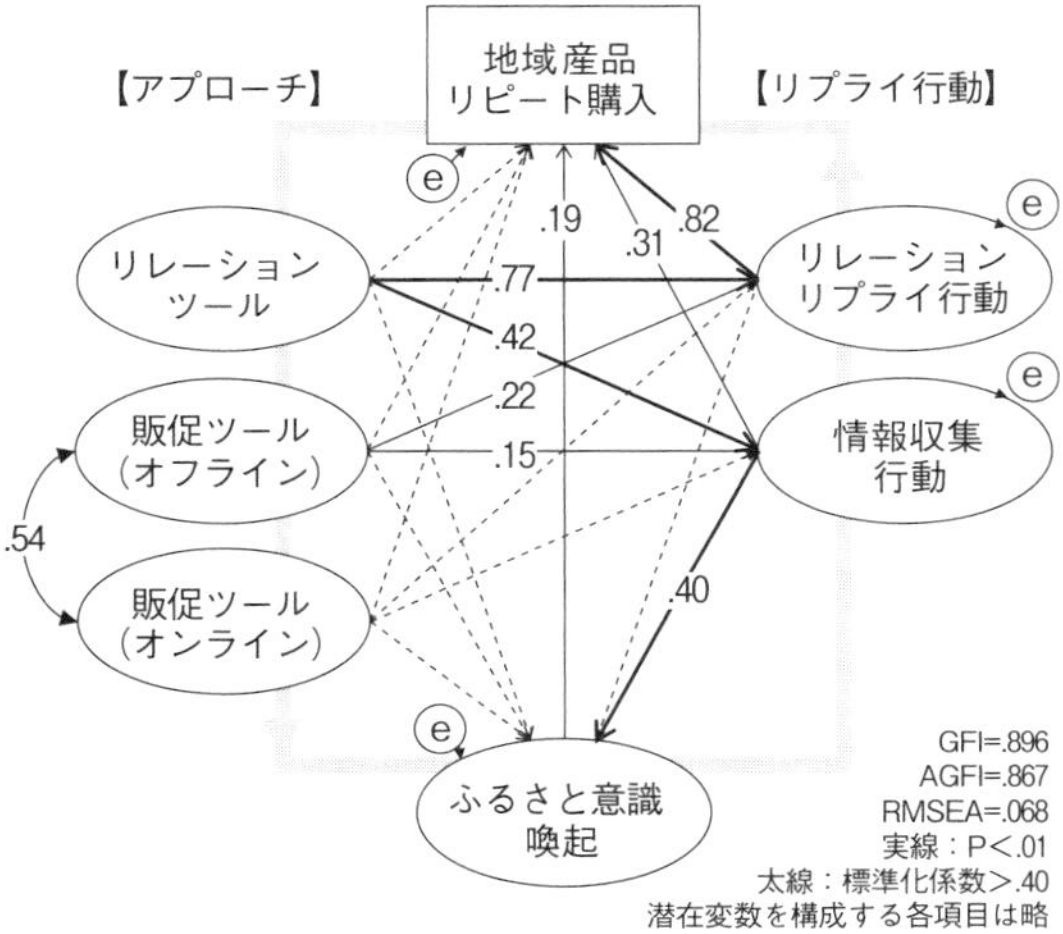

プライ行動の影響関係から見ていきましょう。地域情報提供ほかの「リレーションツール」のアプローチから感想返送など「リレーションリプライ行動」へのパスは、〇・七七の強い影響関係がありました。また同じくリレーションツールから「情報収集行動」へも高い係数が得られています。販促パンフなどオフラインの「販促ツール」からも二つのリプライ行動への有意な影響関係があります。

オンラインの販促ツールからは有意な影響がありませんでした。メールなどオンラインのアプローチは必要なのですが、ふるさと納税に限らずあらゆる事業者から投入されているところから、プラスアルファの価値が利用者に認識されないのでしょう。

「地域産品リピート購入」への影響は、リレーションリプライ行動からのパスが〇・八二と最も大きな影響を与えています。利用者の情報収集行動からリピート購入への影響も見られます。今回の調査分析ではオンオフの販促施策からリピート購入に対しては、有意な直接の影響関係が見られませんでしたが、機能上では必須の施策です。

総じて地域側の自己紹介や使途結果報告などのリレーションのアプローチが利用者の感想の返送と情報収集のリプライ行動を起こして、地域産品の反復的な購入へと誘導するという影響関係が読み取れます。

「ふるさと意識喚起」に対しては、リプライ行動の「情報収集行動」からのパスで係数〇・四〇の影響関係が見られました。そのふるさと意識は、リピート購入に対してプラスに有意な影響を与えています。

寄付金と返礼品の交換にプラスして地域側から提供された地域情報などのリレーションツールのアプローチによって、利用者の側に「返礼の義務」の意識が起こって、お礼状・アンケートの返送、情報収集行動などの行動を起こす。また産品のリピート購入を行う。地域や産品の情報に触れることで地域へのコミットメントが高まる。喚起された「ふるさと意識」は地域産品のリピート購入の基盤となる。分析からはこのように読み取れます。

†つながりを深める実践へ

ここまで顧客を二回目以降の持続的な購買へと誘導するリテンション施策に関連してリレーションシップ・マーケティング論、社会的交換論を検討しました。これを踏まえ地域側のアプローチと利用者側のリプライ行動のサイクルが、産品のリピート購入とふるさと意識喚起にどのように貢献するかを分析しました。

ふるさと納税制度における地域側のリテンションのアプローチ施策は、お礼状などが利用者に送られていましたが、地域や地域の産品についての情報は十分に届けられておらず、関係性を形成する施策もリピート購入へと誘導する施策も、取り組みが不十分でした。

一方の利用者側では、感想返送・情報収集のリプライ行動が一部で実施されていました。これらの結果、一四・七％の利用者が地域産品をリピート購入しています。

リテンションサイクルの「地域産品リピート購入」への影響分析では、自治体側からのリレーションツールによるアプローチが利用者のリプライ行動を起こし、地域産品の購買へと誘導するという強い関係が現れました。リプライ行動のうち情報収集行動が利用者の地域コミットメント、「ふるさと意識」を喚起して産品のリピート購入を支えています。

これらの実態把握を前提に、地域産品を販売する事業および、地域産品の市場導入に取り組む事業者と自治体が、どのようなリテンション施策を開発、実践すべきかを検討します。

†また買わせるリテンション施策とは

初回だけの購買に終わらせず二回目以降の持続的なリピート購入へと誘導するリテンション施策は、ふるさと納税に限らず地域産品を販売する他のチャネルでも有効です。ＥＣや通販のお取り寄せは、地方の事業者が商圏と商流の限界を超えて消費者にダイレクトに商品を届けられることから、地域産品にとって有望な販路です。これらの直接販売のチャネルは顧客のリストを使ったリテンション施策が投入できます。

流通の催事や地方アンテナショップの地域産品の販売でも、抽選でのプレゼント提供や会員化特典などの手法で来店者のメールアドレスもしくは住所を取得すれば、リテンションのアプローチが可能です。同じ手法は観光地の旅行者向けの販売で有効ですし、許諾を得れば商品配送先の自宅住所が顧客リストとして利用できます。

このように、地域産品を販売するさまざまな販路で、収益を高めるリピート購入誘導施策が実施できます。本章での検討を踏まえて地域産品一般の適切なリテンション施策開発のために、心掛けるべき二つのポイントを提示します。

一点目はリテンション施策のうち、お礼状やていねいな商品説明、地域の自己紹介などの「リレーション」の施策投入の重要性です。リレーションツールは、販売促進に直結せず効果の測定も難しいために、おざなりにされがちです。今回の調査結果からは、顧客とのリレーションをはかるツールが、リプライ行動を介して商品のリピート購入と送り手へのコミットメントの形成に寄与することが検証されました。リテンションの循環を促進して事業の収益を拡大するためには、直接の購買にかかわらないリレーションツールを積極的に投入すべきであるといえます。

二点目は顧客側の「リプライ行動」への誘導の重要性です。一般的なマーケティングの視点は顧客をアプローチする客体としてのみ捉えがちです。今回の共分散構造分析の結果からは、リテンションサイクルを循環させるうえで地域側のアプローチに対する顧客主体側からの応え返し、感想の返送、情報収集などリプライ行動の役割が大きいことが分かりました。

リプライ行動への顧客の誘導は、工夫は要るものの非価格的な販促なので、割引の特典のような売上・受注比例のコストが発生しません。カタログやステップメールなど十分な販売促進施策を投入しているにもかかわらず、リピート購入の成果が得られていないのであれば、地域産品のマーケターは、〝打ち手〟のひとつとして、アンケートなど顧客の評価の取得、商品情報サイトへの誘導、感想ハガキの商品同梱など、リプライ行動を喚起するリレーションツールの投入を試みるべきでしょう。

†返礼品からリピート購入へ

ふるさと納税には、ふるさと意識の向上と地域産品の市場導入が求められています。前項で示した地域産品一般のリテンション施策への提言は、ふるさと納税に取り組む自治体と返礼品を供給する地域事業者におおむね当てはまります。それに加えて確認されたふるさと納税制度の現状からもインプリケーション、政策的な示唆が得られます。返礼品からのリピート購入を目指すリテンション施策開発のために三点の方針を提示します。

一点目、図5-6のリテンションサイクルの影響関係の分析では、地域側のアプローチの施策によって直接に、地域産品のリピート購入とふるさと意識が喚起される影響関係は認められませんでした。これは表5-2に現れるように、自治体・地域事業者側のアプローチ、リテンション施策への取組がまったく不足していることにも原因があると考えられます。

リレーションツールのうち返礼品に同梱される「地域・地域産品情報」のリーフレットは五割強の到達率でしたが、これは必須のツールです。寄付先の地域と産品についての説明さえも怠るならふるさと納税は単に、税金を使って牛肉や米を利用者にただ同然で与える制度に堕してしまいます。

産地の特徴や産品の由来についての情報提供は、利用者の主体的な情報収集活動を促す効果が期待できます。また利用者が産品を消費する際に感じる便益、ありがたみを高める役割もあります。必ずしも広告会社などが制作するような費用をかけたパンフレットでなくても構いません。いわば自己紹介のツールですから、手づくりであればむしろ送り手の人格を表現して、地域と産品へのコミットメント、ふるさと意識を喚起するでしょう。情報提供のツールは制度の意義において必要であり、効果が期待できる施策なので必ずの実施をお勧めします。

二点目は販売促進ツールにかかわります。値引クーポンなどの特典でリピート購入を促進する施策、「リピート促進オファー」の到達率は二一・六%と高くありません。消費の経験に近いタイミングで、動機づけとして値引きを提供すればリピートの可能性は高まります。自治体がポイント制度を設定して再購買をうながしている例もありますが、返礼品の段階ではポイントが溜まっていないので値引きのほうが有効です。値引には理由が必要ですから特典を付ける際には、ご縁をいただいた御礼として、今後の当地とのお付き合いを願って、などの説明を添えます。

他に季節ごとの産品案内、ギフトＤＭなどの周期販促も必要です。ＤＭなどの施策は費用対効果、採算性が評価できますからムダは起きにくい。せっかく地域と縁のできた利用者です、長い付き合いにするために周期的な施策を行うべきです。

三点目はリレーションツールのうち「お礼状」についてです。お礼状は八二・四％と高い実施率でしたが、内容的に十分ではない例が見られます。筆者が確認したお礼状では、自治体首長の名義で「拝啓　時下、皆様におかれましては益々ご清栄……」のような形式ばったものが多く見られました。仰々しい文面は双方に距離を作りコミュニケーションを拒否するものとして機能します。お礼状が寄付金受領証明書を兼ねているケースもありましたが、このような対応は形式に成り果てて感謝表明の意味が失われています。

お礼状の文章の精査がおざなりになっている例も気になります。お礼する相手は「ご寄付を戴いた皆様」ではない、「貴殿」と上から呼ばれて親しみは感じない。語りかけるのは、感謝すべき利用者の一人ひとりであると考えて文面はしたためられるべきです。利用者のコミットメントをいっそう喚起するために、首長にかぎらず観光大使や地域キャラクター、地域の子供たちからの体裁でのお礼状も送り手の人格を感じさせて有効です。

また返礼品の提供事業者からのお礼状も、自治体からのものとあわせて同梱される必要があります。他ではなく自分の商品を選んでもらった相手に対して、機会があるのに一言もないのは礼を失しています。利用者に感謝の気持ちを述べ、産品に託した思いを説明して再度の購入をお願いする文面を作成すれば再購買の可能性が高まります。リピート購入以降は行政に頼らない、事業者の自力による地域産品の市場導入への一歩を踏み出せます。

お礼状は文面を考える手間はありますが費用はかかりません。自治体による産品買上げの際には、産品事業者のお礼状の作成を条件にしてもよいでしょう。

心のこもったお礼状と地域の自己紹介のパンフレット、リピート購入特典などを返礼品にプラスし、総体として愛のある「贈り物」として設計された包みを届ければ相手のマインドに互酬性の返礼の義務の意識が起こります。これを起点に地域へのコミットメント、ふるさと意識は高まり、リテンションサイクルによる持続的なリピート購入へと誘導できます。

†関係人口の形成へ

国内人口の減少、とりわけ地方の人口減少が避けられない現在、地域の側では「関係人口」に期待が寄せられています。関係人口とは、単に地域を通り過ぎる旅行者よりも深いかかわりを持つ人たち、地域外から地域を支えてくれる人たちのことです。地域との関係のありようは複数回の観光訪問や地域産品の反復的購入、ボランティア参加、滞在型観光、リゾート型のテレワーク（遠隔地勤務）、地域への移住の検討などがあげられます。

地域の人口が居住の事実によって画然と区分できるのに対して、関係人口は、まずは非居住者の地域に対する意識の問題です。関係人口は、特定の地域に対して愛着を持つ層、強いふるさと意識を持つ人たちだといえます。

何らかの機会に地域と接触した人たちを、さらなる行動へ誘導して地域へのコミットメントを高めていけば関係人口は形成されます。自治体など地方の側が、地域に対して愛着をもつ関係人口を増やしたいのであれば、産品の購買、ふるさと納税の寄付の機会を逃さずリピート購入への働きかけを行っていくべきでしょう。本章で見たリピート購入をうながすリテンション施策の実践は地域を〝第二のふるさと〟のように思ってくれる人たち、関係人口の形成に貢献します。

4　地域間のつながりが地域産業を支える

†双方向コミュニケーションの力

リテンション施策によって紡いできた顧客のコミットメントがリピート購入につながっ

図５－７　小野食品の顧客からの返信ハガキ

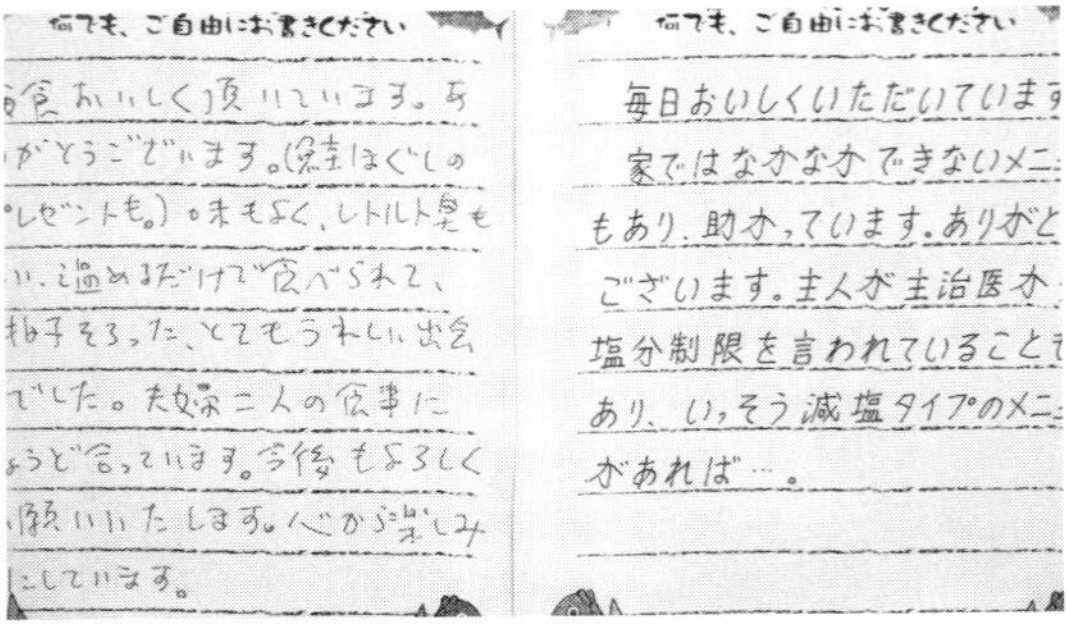

ただけでなく、地域の事業者を見舞った苦難から救った事例を示します。第四章で紹介した魚そうざいの「三陸おのや」小野食品は、顧客の継続購買を得るリテンション施策に積極的に取り組んでいます。

同社の商品とともに同社の顧客に届けられる一色刷り・Ａ四サイズのリーフレット「お魚通信」の書き出しは、「店主の小野です」という名乗りで始められます。続くトピックは、季節の魚について、顧客との対話、生産者訪問の報告、地域の近況についてなど。お客様に対するいわば〝手紙〟のような形式をとっています。加えて「商品やサービスに関してお気づきがありましたら」と同封のハガキでの返信、リプライ行動をうながします。

顧客側からは商品の評価、サービスへのクレーム、商品とは関係のない季節の便りなども含めて毎月数百通のハガキが届きます。便りに対しては従業員が手分けして、全数に返信がなされています。電話やメールによる問い合わせには、工場に併設された社内コールセンターの担当が応じます。

ここでは一方向の情報伝達だけではなく、顧客と地域の事業者とのあいだに人格的な双方向のコミュニケーションが実践されています。商品と代金との経済的交換にとどまらない、社会的交換も含めたリテンションサイクルが十全に機能しているといえます。その端的な成果として商品の高いリピート購入率が得られ、同社は事業成長を遂げています。

†顧客からの評価

リテンションサイクルの循環はリピート購入の促進以外の、事業の他の側面にもプラスの効果があります。まず商品への評価・クレームなど届けられた顧客の〝生の声〟は、商品開発部門にとって大切な情報源です。リサーチに大きな投資ができない中小企業にとって、顧客の商品評価が経常的にフィードバックされるのは、とてもありがたい。

得られた顧客の声に対しては前述のように、製造部門も含めた従業員自身による返信がなされています。この過程を経ることで従業員の業務、切り身を切る、商品をピッキングするなどの作業の意味が変わっていきます。日々の仕事は単に給与を得るための退屈な作業ではなく、顧客の家庭の夕食でよろこばれるメニューを調理する、おいしい料理を食卓に届ける労働としての意味が見出されます。結果として従業員の働く意欲は高くなります。主体的に工程・商品をより良くしていこうという気持ちも起こり、提供する商品・サービスの質も向上します。またこれらの対応によって安定したリピート購入が得られるおかげで、原料・資材の仕入れにおける購買条件の交渉も有利に働きます。

小野食品のリテンション施策は商品開発、品質向上、人的資源管理にも寄与しています。リテンションのサイクルは、リピート促進のマーケティング活動だけでなく、地方の企業が従業員と全国の顧客とともに商品・サービスの提供価値を共創し、収益を高める事業構造の形成にも貢献します。

†顧客の声を復興の力に

増え続ける顧客、生産量に対応するために小野食品は、事業所・生産ラインを増やします。岩手県大槌町《おおつちちょう》の新しい事業所では、顧客対応のコールセンターを拡充して、製造・オペレータのスタッフ三〇人をあらたに雇用することとしました。顧客の注文に応えるため「できるだけ早く稼動したい」と引渡しを一カ月前倒しして、二〇一一年の二月二五日に開所式は実施されました。港に面した真新しい事業所で、町長らの来賓を前に小野社長は、自社と三陸の地域の未来についてビジョンを語りました。

二週間後の三月一一日、東日本大震災は発生します。釜石の小野食品も津波の直撃を受けました。大槌町では町長を含む死者・行方不明者一二三三名が犠牲に。同社が二・七億円を投じた新事業所は、一度も商品を出荷することのないままガレキの山となります。津波にさらわれた街、電気や道路のライフラインも途絶して事業再開の見通しは立たない。失意に沈む小野社長らのもとに、顧客からの電子メールが届き始めます。

「地震の災害お見舞い申し上げます。もうお魚を戴けないかと心配でたまりません。どうぞご無事でと祈っております」

「おのやさんに頂いたカレンダーを見ながら、美味しいお魚をいつまでも待ってます」

「操業が再開されたら必ず注文します。返信は要りません。応援しています」

これらの全国の顧客からのメールを受けて小野食品の社長、従業員は事業と地域の再興への意志を奮い起こします。まもなく顧客から救援物資、支援金が届き始めます。〝一〇年分の先払い〟を振り込んだ方、ボランティアとして復興の手伝いに訪れた顧客もいました。

従業員たちの努力で残った生産ラインを復旧させ、潮《しお》を浴びたパソコンに残っていた顧

図5－8　震災後の小野食品大槌事業所（小野社長撮影）

客リストも復活させました。東北の産品に原発事故の影響が懸念されるなか、三カ月後の同年六月に商品のお届けを再開すると、三陸おのやの顧客のほとんどは再開に応じました。

顧客と小野食品のあいだには強いコミットメント、支え合う共同性が成立していました。顧客にとって小野食品・三陸おのやは、震災以前からのリテンション施策の双方向コミュニケーションを通じて、単なる食品メーカーではなく、遠方に住む知人や友人のような関係になっていました。

三陸の水産加工業は震災復興資金の支援を受けたものの、風評被害もあって今もなお八割以上の会社が震災前の売上水準に達していません。そのなかにあって小野食品においては形成してきた顧客のコミットメント、人的関係の実質が支援として現れて危機に瀕した同社を救いました。顧客の支持に応えて同社の事業は成長を続け、現状の売上は震災前の二倍以上の規模となり、被災地域のサプライチェーンと雇用の維持、地域産業の復興に貢献しています。

第六章　マーケティングで地域を結ぶ、活性化する

ふるさと納税や地域産品のマーケティングの実践によって、地域についての知識を広めて地域ブランドの価値を向上させる。リピート購入を促進するリテンション施策を通じて消費者・顧客に、地域へのコミットメント、ふるさと意識を喚起・再生産する。形成された地域についての知識と地域愛着が、産品の積極的な選択とリピート購入を促し、その波及効果も広がって地域産業の発展の基盤となるはずである。

これまでの各章での検討は、このような目論見をもってなされてきました。第二章の図2-1で紹介した「地域共同体再生の夢」のフレームを借りれば、本書の検討の背景には、地域産品のマーケティングによる〝地域間の共同性再生の夢〟があるといえます。

ただしこのような企図には、複数の立場からの批判がありえます。一つめは地域外のリ

ソースに依存せず、地域内の共同体を主体として経済的、産業的にも自立した地域を目指すべきだという地域主義や内発的発展論です。これらの理論からはマーケティングによって地域産品の地域外の需要を積極的に喚起する方針は導出されず、逆に地域内での自立的な需給の確立が目指されます。

次いで現代の消費社会は人の関係を分断して、本来あるべき姿から疎外するものであるなどとする消費社会論からの反論がありえます。消費社会論からすると消費を喚起するマーケティング活動こそが、共同体、共同性を崩壊に導くものとして指弾されかねません。

二つの立場からの想定される批判を超えて、地域の商品のマーケティング活動で地域間の共同性を形成し、地域の活性化をはかろうとする構想が成立しうるかを検討します。

1 地域は他の地域との関係で発展する

†地域の経済的自立を求める地域主義

ここまで「地域」という語をさんざん使ってきましたが、地域とはどう捉えられるか。

地域は実体としては地表の空間区分であり、都道府県など行政区分、地形や気候による区分など何らかの視点で分けられた領域を指します。しかしたとえば「地域活性化」や「地域づくり」という問題意識のもとで使用される際の「地域」は、単なる空間区分以上の意味を持ち、都市や国家、行政などとの対比、さらにはそれらと相対する関係にある場所という含意を持つ場合が多いでしょう。

本書においては地域を都市との対比関係で捉えており、基本的には地方の地域を指し示して「地域」、または直截に「地方」と呼んでいます。主題が地域産品のマーケティングですから、生産地としての地方と消費地である都市の対比ということになります。ただし都市と地方は対立するものではなく、相互に依存関係にあると捉えようとしました。

近年の日本で「地域」の語がもっと積極的に、規範的な用法で使われた代表例として、経済学者、玉野井芳郎氏の「地域主義」があります。地域主義は、問題意識の多くを共有する鶴見和子氏、宮本憲一氏らの「内発的発展論」とともに、地域活動や地方行政の現場にも広く受け入れられ、現在も地域活性化を考える上で欠かせない理論となっています。

地域主義について玉野井氏は、「地域に生きる生活者たちがその自然・歴史・風土を背景に、その地域社会または地域の共同体にたいして一体感をもち、経済的自立性をふまえて、みずからの政治的・行政的自律性と文化的独自性を追求することをいう」と定義しました。

一九七〇年代以降、地域主義の主張が広がったのは様々な要因がかかわります。まず地域間の均衡ある発展を目指した一九六〇年代からの全国総合開発計画などの工業、大企業中心の地域進出が必ずしも地方に良い結果をもたらさなかったため、別の発展の道が求められたことが挙げられるでしょう。

高度経済成長による急激な都市への人口集中の結果、伝統的な農村の地域社会の崩壊と都市の大衆社会状況における文化的な画一化が進むなかで、失われつつあった地域共同体が憧憬を呼んだという背景もあるかもしれません。

地域主義の実践的な意義は、まず地域と地域の住民を、行政から操作される客体ではなく、地域をつくる主体とした点です。またこれにより地域発展の複線性すなわち、ありうべき地域の姿は一つではなく、複数であるという理念が共有された点も意義とされるでしょう。

†地域内経済循環の限界

のちの視点から見ると地域主義は、中央政府の地方振興政策としても、その主張が部分的に実現されていったともいえます。政府がとった地域政策、「定住圏構想」「ふるさと創生資金」「構造改革特区」「地方創生事業」などは、地方がそれぞれの独自性を生かせる基盤を提供しています。地方への税源移譲をともなう「三位一体の改革」は、地方の政治的・行政的自律をうながすものでした。国土計画においても地域の画一化が批判される「国土の均衡ある発展」のスローガンは捨てられ、二〇〇〇年代からは代わりに「地域の個性ある発展」が謳われるようになりました。

政府によって地域主義の主張の一部が着々と実現されていく一方で、東京への一極集中は進んで地方は人口の減少を続け、「地方消滅」の危機さえ指摘されています。このような地方の現状を地域主義の立場が望んではいなかったのは明らかです。もちろん地方の衰退は、地方主義の主張が十分に実現していないせいであるといえるかもしれません。外形的な環境は整えられても、地域社会を担う人材の育成がなされなかったともいえます。共同体的な地域論の立場からは、中央政府によって自立が推進されたのは自治体であり、「地域の共同体」ではないという反論もありえます。

ただし地域主義と内発的発展論の側にも限界があると考えます。地域発展を捉える視点として、国全体や国内外の他地域との相互依存的な関係のなかに地域が存在しているという認識が地域主義、内発的発展論には不足していたのではないか。そう考える理由の二点を示します。

第一に玉野井氏は、閉鎖経済を意味するものではないと留保しつつも、地域内の需給、地域内の経済的循環を重視するのが地域主義だと主張します。[1] 実際に、地域主義および内発的発展論の影響下に現れたとされる「地産地消」運動は、農産物などの一次産品を中心に、地域の産品を地域で消費すること、地域の自立した自給圏の確立を促しています。

ただし家計調査によれば野菜、肉類、魚介類など一次産品の支出に占める比は一〇%程度です。現代の日本で実際に都道府県単位の地域内で調達できる一次産品の比は一部を除けば、家計支出の数パーセントに達すればよいほうでしょう。ましてや自動車、綿布、冷蔵庫、シャンプー、スマートフォンを自前で供給できる地域は限られています。地域の生活を支える多くの商品は地域外からの移入に依存することになり、地域内の経済循環が可能な範囲は極めて限定的です。

また地域の生産者は多種の商品を域内の狭い市場に提供するより、得意な産品に限って地域外にも販売すれば儲かりますし、商品の品質も向上します。地域内需給を重視するなら生産者は収益をあきらめて、消費者は低品質で高価な商品を買うことになります。

付加価値を地域内に留めるために取引の連関、サプライチェーンを地域内にできるだけ長く持つことは望ましいでしょう。しかしその場合も商品を販売する先、市場は地域の外に求めるほうが良い。地域主義には反しますが、地域の発展はやはり域内の需給の循環ではなく、それぞれの地域の事業者が域外を含めて、相互に市場開拓を行い各地の産業が発

展することで実現すると考えるべきでしょう。(2)

†地域間の再配分をどう捉えるか

第二に地域主義、内発的発展論には地域間の再配分を回避する傾向が見られます。宮本氏は内発的発展論の特徴のひとつは、「中央政府や県の補助金に依存しない」点にあると説明しています。

地域外からの資本や技術の導入とともに補助金は、「外来型開発」に分類されるもので、地域の主体的、内発的な発展に反するとされます。補助金を受けるのは「地元の経済がある程度発展して、それと必然的な関係を要求した時」であるべきだと述べています。

こういった内発的発展論の主張に対しては、中小企業や農民に対する政府の補助金の削減を正当化し、生産者を地域内の小規模な需要に限定した段階に留まらせるものであるとの批判がなされています。事業者にとって資金の必要は、事業が将来の収益の拡大を目指す段階でもっとも発生します。そこで外部の、または公的な資金導入を拒否するというなら批判の通り、地方の事業者の成長の可能性は減じることになります。

中央政府による地域への補助金は、地方交付税交付金と同じく財政の再配分として地域間の格差を埋める機能を持ちます。補助金への依存体質が起きるなど、公的支援に逆機能があることは知られています。だからといって政府による地方への補助金、地域間の再配分を拒否するのであれば、地域間の格差はいっそう拡大します。

第二章では特定の政治的スタンスを持つ高所得・高学歴ホワイトカラーの「地方自立層」の意識と行動を把握しました。地方への政府の支援はむしろ地方の活力を失わせると考え、地方の活性化のために公共事業の抑制と地方の財政的な自立を求めるこの層は地域主義の主張に、わが意を得たりと共感することでしょう。しかし地方自立層は地方の支援行動の実践には消極的であり、利得目的でふるさと納税を利用する、地方の味方にあらざる人たちでした。地域主義、内発的発展論の地方自立の主張は、結果的には地方を置き去りにする自由主義、小さな政府論と軌を一にするものとなりかねません。

地域の産業は域内市場だけではなく、他の地域に市場を求めることで発展する。また地方の存続、発展には自律的な努力とともに、公的な資金支援、中央政府による地域間の再配分が必要であると考えます。

地域自身が地域発展の自律的な主体となるべきだという地域主義の主張は地域活性化に取り組む自治体、地域で活動する運動体の実践に理論の力を与えました。しかし個人の存在がそうであるように、地域はそこで完結するものではなく、他の地域との関係のなかにあってのみ存在し、地方の発展もまた都市も含めた他地域との相互作用のなかで実現していくものであると考えます。

2　消費生活を通じて地域間の共同性を形成する

†消費社会・市場システムの支配

現代社会の消費のありよう、消費社会に対しては、いくつもの立場からの批判がなされてきました。一九二〇年代にアメリカで消費社会が現れる以前、デュルケームにおいて消費は無限の欲求を喚起して、個人を慢性的な不満や焦燥感、動揺、道徳的退廃に導き、社会の無規範化・アノミーを生み出すと捉えられました。リースマンは現代の大衆消費社会は、周りと同じ水準の消費生活を望む他人志向型の社会的性格に特徴づけられ、人は内面の指針を失うと指摘します。

経済学者ガルブレイスは、豊かな生産力段階に達した経済で生産に従うマーケティングが、消費者のなかに本来はなかった欲望を生産して消費を喚起していると指摘しています。これにより欲望は生産に依存するものとなり、人は主体性を失うと述べます。

商品によって自己表現がなされるというヴェブレン的な消費の側面についてボードリヤ

ールは、記号の消費に人が組み込まれるものであると指摘します。そのうえで、そういった消費が全面化した高度な消費社会において消費者は主体となるのではなく、記号消費のシステムに支配されると批判しています。

社会学者のリッツアは、官僚制の合理的な拘束性について述べたウェーバーの「鉄の檻」の概念を用いて消費社会を分析しています。リッツアによれば、ファストフードに代表されるような合理的な効率化の原理が、商業だけではなく学校や医療機関においても支配的なものとなり、消費者は効率的なシステムによって徹底的にコントロールされる客体となると主張します。

このように社会関係を分断するアノミー化、人間の本来性からの疎外、経済主体やシステムによるコントロールと従属など、現代の消費のあり方にはさまざまな批判があって、総じて消費社会には否定的な側面があるという事実は否めません。しかし多くの論者が消費社会を告発しつつ、その超克については悲観的な記述に傾きがちで、克服への道は見通しにくい。これは「市場システム」の逃れ難さに由来するといえるかもしれません。

ガルブレイスは生産が人の欲求を支配するといい、ボードリヤールは消費のシステムが社会を覆うと述べます。それぞれに説得力があるのは、市場が全面化した現代の社会を生産と消費の両側面から把握しているからであると考えられます。現代の生活世界は、生産と消費のいずれにも覆われており、消費社会論は産業社会論と同様に、市場のシステムのひとつの側面を説明していると捉えられます。その市場システムを根本的に覆さんとする現実的な社会構想は、一九九一年のソヴィエト連邦崩壊以降には存在していません。

現代の生活世界において市場のシステムが支配的であることと同様に前近代の世界でも人は、呪術、宗教や封建制などの何らかのシステムに組み込まれていました。たとえばモースは社会のなりたち、社会の成員の行動をうながす仕組を贈与のシステムによって説明しています。それぞれの時代の支配的なシステムに、現代では市場システムに、人は逃れがたく従属しコントロールされている。すべての社会は何らかのシステムに組み込まれて存在すると考えたほうが妥当でしょう。

システムによる支配が普遍的な事態で、システム自体からは逃れがたいとしても、それぞれのシステムの問題が失せるわけではありません。呪術、宗教に支配される暮らしには問題があり、幸せであるとはいえませんでした。支配的なシステムはそれぞれの現れ方で、そこに住む人間にとってネガティブと思われる問題をもたらします。現代の市場システムにおいても大きな問題があります(3)。

市場のシステムによる不幸を減じたいのであれば市場システムの外側からの制度による規制、または社会のなかでの実践でシステムの作用を牽制すればよい。前近代を支配した宗教や封建制のシステムにおいても成員の実践による変化がありました。社会を覆うシステムの交代が容易でなくとも、システム下の人々の実践によって不幸をいくらか緩和することは可能です。

†消費を通じた共同性形成の実践へ

市場－消費社会のシステムが人にもたらす問題のひとつは共同体の崩壊、人と人のつながりの分断です。(4) 近年まで功罪のある〝第二のムラ〟として企業に存在した共同性の残存は、労働の市場化の進展により急速に瓦解しました。消費社会の競争と差異化のなかで、「人間と人間」の相互扶助の関係がなくなっていくとボードリヤールは述べます。

社会学者のラッシュは、リースマンの他人指向の概念を延長して高度消費社会の社会的性格について分析しました。商品とメディアのファンタジーの中に生きる現代人は、狭い自我をナルシズム的に守るために他者には限定的な関わりと称賛（いいね！）のみを求めるようになり、バリアに囲まれた「ミニマルセルフ」に閉じこもるとラッシュは描写します。市場化、消費社会のなかで集団の規範と紐帯は弱まり、人の相互扶助的なつながりはいやおうなく失われていきます。ただしそれをまったく回避、緩和のできない宿命だと考えるべきではないでしょう。

消費社会のシステム下でも個々の消費者は完全に操作されることはなく、複数の商品の中から、買わないことも含めて主体的な選択をなしています。消費者側の選択行動がコントローラブルではないからこそ、商品を売る事業者、マーケターは苦労しています。またマーケターの側も、市場‐消費社会のシステムの外的な規範にもとづいて、望ましい消費者との関係を取り結べるように働きかけていくこともできます。

環境やフェアトレードを課題として倫理的な消費を促すソーシャルマーケティング、社会志向的マーケティングは、市場外の規範によるマーケターと消費者の実践であるといえるでしょう。同様に消費社会の重要な機能のひとつであるマーケティングの技術を用いて、市場システムの作用に反して、むしろ社会的な結合、共同性の結びつきを形成する実践が可能であると考えられます。

消費による社会的な結びつきの形成、かつ地域にもかかわる実践については、先行して「商店街」の研究があります。商学研究の石原武政氏は商店街を、生産と消費を効率的に架橋するだけではなく、人と人をつなぐコミュニティの特徴をもつ場として捉えました。

商店街のコミュニティは、売り手と消費者、また消費者の間でお互いを具体的な他者として認識して配慮しあう「小さな公共性」を基盤として成立しうると石原氏は主張します。そのうえで商店街コミュニティの核となる「コミュニティ型小売業」は、一人ひとりの存在として買い手と交流するゆえに「市場メカニズムを不十分にしか作用させない要因」であり、同時に地域の人間関係をつなぐ重要な構成要素であると位置づけました。また交通・通信手段の発達とともに住宅地近隣の商圏に依拠する商店街が衰退するなか、石原氏は新たなコミュニティ型小売業の可能性に期待していました。

社会学者、新雅史《あらたまさふみ》氏による東北被災商業地域の復興過程の観察によると、チェーン店で構成されるショッピングモールではボランティアが見当たらず復興が遅れました。かたや従来型の商店街では、多数のボランティアが訪れて早い復興がなされます。商店街のほうで外部との協力関係が豊富に得られたのは、商店街が商業地区というだけでなく、そこに住民の生活への意志があり、他者との共同性を形成する場であったからであると新氏は指摘しています。このように商店街研究は、消費生活が人のつながりを分断、疎外するだけではなく、商取引を通じて経済的な交換にとどまらない共同性が形成される可能性を示唆しています。

その商店街における商取引と主体間の結びつきは、売り手と買い手に直接接触的な対面関係があり、かつ実体としての場を共有する地域のなかで起きていました。一方で、第一章で取り上げた「ふるさと納税」制度は、対面によらない取引関係です。地域産品の売り手である事業者と地域外で産品を購入する消費者とは、もとより暮らす地域を異にして、実体の場を共有していません。

つまり地域産品のマーケティングが関わるのは、対面関係のない売り手と買い手の購買関係であり、地理的に隔絶した地域と地域外の住民のあいだのつながりです。そこで形成目標とされるのは、実体の場をもつ共同体・Community ではなく、空間を隔てた共同性・Communality の形成ということになります。

われわれが取り組む地域活性のマーケティングは消費を促すものでありながら、市場－消費社会のシステムの作用に必ずしも則さず(5)、実体の場を共有しない社会的な結合、地域のあいだの共同性を形成する実践であると位置づけられます。

3 地域を発展させる地域間の循環の創出へ

†地域活性マーケティングの役割

地域間の人の移動は、モノや情報ほどには容易ではありません。そもそも生活する地域は必ずしも主体的に選ばれるのではなく、人は宿命的にいずれかの土地に生まれてきます。たしかに近代国家では居住地選択の自由が保障されており、長じてのちは移住の選択が可能になります。しかし暮らしの場の移動にはさまざまにコストが掛かり失うものがあるうえに、移住に必要な資源をだれでもが持つわけではありません。そういう視点からも地方に対する支援が必要だと考えられます。

ただし技術革新のおかげでこの一〇年ほど、モノや情報のほうの地域間の流動性は飛躍的に高まりました。地方の事業者が地方にありながら、都市の消費者をターゲットとして地域産品の市場導入を進め、事業を成長させていく可能性は高まっています。地域産品のマーケティングによって、地域活性化をはかれる展望は大きく広がっています。

ふるさと納税について検討した第一章では、制度が利用者に寄付先地域へのコミットメントである「ふるさと意識」を喚起して、政策目的が達せられているかを調査によって検証しました。そのうえで同制度の政策目的と帰結を規範的に検討し、望ましい制度のあり方について試論を提示しました。

地域産品のターゲット層を探った第二章では、地域への再配分を支持する層の共同性志向を手がかりとしてアプローチすれば、地域産品の市場導入の可能性が高まると考えられました。またターゲットのペルソナイメージの開発を試みました。

地域ブランドを取り上げた第三章、第四章では、地方の事業者を主体とする地域産品のマーケティング活動が地域ブランドの価値を高めることを示しました。第四章の分析では、地域住民の歴史的ないとなみによって形成された地域ブランドが、産品を届けんとする事業者のマーケティング活動によって消費者に共有され、地域についてのポジティブな記憶が形成されると検証されました。また事業者の実践は、地域の生活、産業に積極的な波及効果をもたらしていました。

第五章は産品のリピート購入を促し、事業の収益を高めるリテンション施策を検討しました。そこでは、あいさつや自己紹介を行うリレーションのアプローチによって顧客側の行動が誘発され、地域への愛着を高めながら持続的な購買に導く循環が検証されました。また顧客とのあいだに形成された社会的結合は、地域の災害からの復興を支えていました。

これらの検討は総じて、図6-1のように整理されます。意思を持った地域の事業者を主体とし、地域ブランドを用いて消費者に商品購買を働きかける活動と、顧客との社会的交換を喚起する適切なリテンション施策が投入されます。

そのようなマーケティング活動は、消費者に地域産品の購買、持続的購買をうながすとともに、地域についての記

図6-1　地域活性マーケティングと共同性の形成

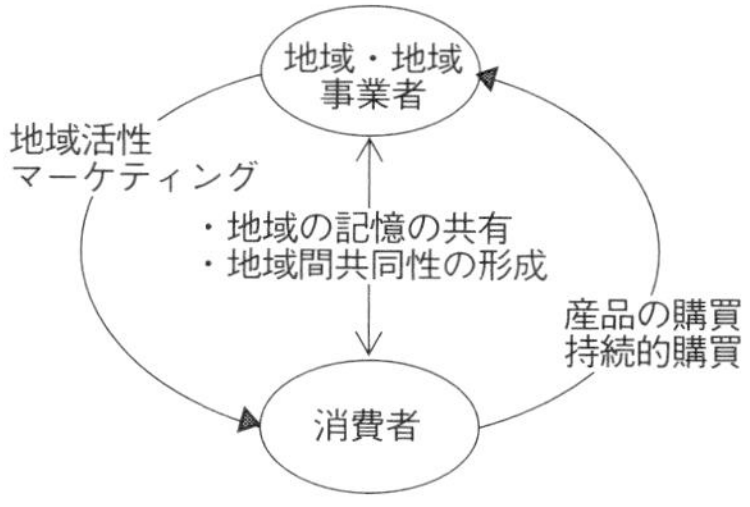

憶を共有せしめ、顧客との相互作用を起こして地域間の気持ちのつながり、空間を隔てて地域を支える共同性を形成します。

結果として都市の消費者に生じた産品の地域についての記憶、地域への愛着は都市の側に形成された地域資源であり、地域の他の事業者の産品の市場導入の可能性をいっそう高め地域の産業を発展させる基盤となります。

地方の事業者が地域産品を販売するこのようなマーケティング活動は、地域を活性化させるマーケティングです。本書は都市側に地域の経営資源を形成して地域発展をはかる、地域活性マーケティングの可能性の一端を示せたのではないかと考えます。

†地方と都市の「記憶の共同体」

都市に対して地方は、市場での調達がかなわない人口の再生産や自然環境の保護の機能を果たして貢献しています。消費者が国産の食品を求め、また食糧の自給率を高めたいのなら、一次産品の生産は地方が務める役割です。都市は地方の存在を必要としており、都市の持続的で望ましい発展のためには、地方を支えなければなりません。

一方、地方にとって都市は、われわれの問題意識からするとまずは、地域産品のマーケティングの対象、消費地として位置付けられます。地域産品の市場導入と、それによる地域の発展の成否は、都市の消費者の支持に依存しています。また発展といわず地方の存続のためにも、都市住民の支持が必要です。

地方の財政は、国からの国庫支出金や地方交付税交付金の配分を得ています。地方への配分の原資は、都市側の所得税・法人税などが多くを担います。都市住民の端的な利害からすれば地方は重荷になる、切り捨てるべき対象です。都市には都市の必要があるのに、なぜ稼ぎを割いて地方に配分を注ぎ込み続けなければならないのか、都市住民は地方の奴隷ではない。実際に政府の地方への「ばらまき」政策に対する世論の風当たりは強く、近年は地方の財政的自立の要求がいっそう高まっているようです。このままでは、第二章で把握した「地方自立層」のような考え方を持つ人たちが厚みを増していきます。

地方に心を寄せる都市住民、地方の味方を増やしていかないことには、地方への配分を維持することが難しくなる。地方の存続のためには、地方を支えるコンセンサスを都市の住民に形成する働きかけが求められます。こういった地方側の必要、地域産業の振興、都市住民における地方支援の合意形成という課題には、評判が良いとはいえないふるさと納税制度の返礼品慣行や、地域活性マーケティングが貢献できると考えています。

地域活性のマーケティングは、都市住民の生活にも有意義な影響をもたらすかもしれません。画一的なナショナルブランド、流通ＰＢの商品に埋もれた都市の家庭に、地方から特色のある商品が届きます。ふるさと納税返礼品のスポット的な消費ではなく反復しての購入、日常的な消費が持続するうち、都市の生活に三陸や小豆島、島原、弘前《ひろさき》、加賀《かが》、信《しん》州《しゅう》、南阿蘇《みなみあそ》など地方の固有名詞が組み込まれます。

消費にともなう各地域との双方向のコミュニケーションを通じて、都市住民はステレオタイプの地方像から解かれ、地域はこの商品を作り届ける人たちが暮らす、具体的でたいせつな場所のひとつとしての価値をいずれ持ちはじめます。地域からの商品の持続的な消費を通じて、都市住民の意識にいわば複数の〝ふるさと〟が生まれます。地域活性マーケティングは、空間的な距離を超えて、都市住民と地域との意識上の隔絶を引き寄せます。

都市住民に形成された地域についての記憶、地方との気持ちのつながりは、現代の寄るべない「負荷なき自我」に定位を与え、社会学者ベラーの言う「記憶の共同体」を地域間に作りだす端緒ともなります。

記憶の共同体とは、未来へと開かれた希望の共同体でもあり「私たちが自分や自分に身近な者のために抱いた願いを広い全体の願いへと結びつけることを可能にし、自分の努力をいくらかは共同善への貢献という視点から見ることを可能にするような、意味の文脈を用意する」、ベラーは著書の『心の習慣』で、そう述べました。地方を支援しようという気持ちをともなう消費者の商品選択、第五章で顧客が地方の事業者に対して示したような共同善の実践が、現代の消費社会に広がることが望ましいと筆者は考えます。

地方自治体は地域産業の発展のために、産品の市場導入に取り組む事業者の活動を積極的に支援すべきでしょう。事業者は顧客を裏切らない魅力的な商品を開発したうえで、ふるさと納税のような制度を適切かつ効果的に利用し、また地域活性マーケティングを実践して、域外の市場の開拓をさらに進めることができます。

(1)内発的発展論の宮本氏もまた、地域内需給に重点を置き、全国や海外の市場を最初から目ざさない、できるだけ生産や営業の発展を地域内の需要に留めるべきであると述べています。
(2)玉野井氏は、地域主義は自然と共存する「開放定常系」の地域共同体を目指す、また「文化による文明の抑制」とも主張しています。これらから地域主義は本来的に、地域の生産力の発展、地域産業の成長を求めない思想的立場であるとも理解されます。
(3)現代の市場システムにおける最大の問題点は格差の拡大でしょう。市場のシステムは貨幣のもとの平等を促進しますが、その分配の結果として貧富の格差を拡大します。社会的には肥大する欲求が相対的剝奪を生み、デュルケームの指摘した無規範状態をもたらします
(4)共同性・communalityについて理論社会学の盛山《せいやま》和夫氏は、ジンメル、デュルケームにおける「連帯」、あるいは多くの社会学者によって使われてきた「結合」や「統合」の概念にほぼ対応すると説明しています。これを踏まえて本書では共同性を、相互扶助的な社会的結合と捉えています。また同じく社会学者の長谷川公一氏は、共同性についての既存の研究は地域社会的な規定性のもとで、実証的・実態的な

レベルで論じていることが多いと述べ、今後は「市民社会としての社会の統合をいかに形成し、維持し、再生産していくのか」という問いに、実践的・政策論的にも取り組むべきだと指摘していました。

(5)マーケティングはもとより、消費者にブランド知識とコミットメントを形成し、その小さなレントを源泉として超過利潤を得んとする実践であるともいえます。

あとがき

長崎空港からバスに乗り高速を通って四〇分ほど、出島《でじま》道路のトンネルをくぐれば明るい風景がひらけて、故郷長崎市の中心部に到着します。港をのぞむ公園の脇に、ガラスカーテンウォールの真新しい建築物があり、それは外資系保険会社のコールセンターです。数百人が働くこの建物を見ると何かしらの感情が動いて、そこには悲しい気持ちも含まれています。

長崎市は三菱重工の造船で栄えましたが産業構造の転換もあり、一九八〇年代の最盛期に五〇万人いた人口が現在は九割以下へと減り続けています。世帯所得の地域別ランキングで長崎県は常に下のほうです。コールセンターの営業費の過半は人件費、この地にいくつもの大型コールセンターが進出するのは優秀な労働力の人件費が安いため、つまりあのビルは長崎の相対的な所得の低さが現れたものです。

もちろんそこで働く従業員の給料は地域の他の仕事よりは高いのですから、保険会社の職場は故郷の雇用を支え、市場の仕組みによって地域間の格差を小さくしてくれるありがたい存在です。そこで起きたような心の動きは感傷であるといえます。

訪れた先の各地で見られるシャッター商店街、廃村、さびれた観光地に触れて起きる感情もおおむね感傷の域を出ないかもしれません。ただ私が仕事でも地方の事業に多く携わり、地域活性にかかわる研究を手掛けるのは、そういった地方の現状をどうにかしたいという感情がひとつの動機となっています。


各章で何度か言及したように、都市が繁栄し続けるためには地方の存続が必要です。こちらのほうは個々の私的な感情には関わりません。そもそも日本の近代は鹿児島、山口、高知などの働きと新潟、福島などの犠牲のうえに成りました。のちには東京のほか沖縄、広島、長崎や各地の惨禍を経て戦後の民主国家が成立します。高度経済成長の波及効果は熊本、新潟、三重、富山などで公害として現れ、人の健やかな暮らしを奪いました。

今世紀に入っても東京のビジネスと暮らしを支えた福島は、数十年先までの望まない重荷を担わされています。私たちの住む日本社会がいまの姿であるのは、地方の貢献に依ります。地方を支えるのは豊かな都市の、私たち社会全体の責任です。

ただし地方への支援、再配分が必要だとしても、それが底の抜けたバケツに水を注ぐようであってはならず、地方の側の事業成長、産業発展への努力が必要です。事業収益の拡大に、引き受けた仕事の達成に、社会的な価値規範に沿いながら誠実にあたって稼ぐのは「善き生」のありかたのひとつでもあります。公的資金に依存しない自立した事業成長に向けて地域側は取り組むべき、努力への支援がなされるべきです。その際にはマーケティングが役に立ちます。ご縁のある複数の〝ふるさと〟に寄与せんとの意図で本書は著されました。

各地方の思いのある事業者の方々と、勤務先の広告会社ＡＤＫの同僚や社外の先達と協業してきた二十数年間のマーケティング実践の経験が、本書の骨格をなしています。法政大学と北陸先端科学技術大学院大学、また学会での先生方のご指導、研究会を続けてきた友人たちからの学びを得てようやく成しえました。筑摩書房の松本良次さんは新書での出版を引き受けてくださったうえに、分かりにくい拙論に付き合ってくれました。ほんとうにありがとうございます。これらのご恩に報いるためにも小著が所期の読者を得て、地域の発展に心を寄せる、取り組む方々に役立つことを願っています。

引用・参考文献

青木幸弘「地域ブランド構築の視点と枠組み」『商工ジャーナル』30、二〇〇四
青木幸弘「消費者行動の分析フレーム」青木幸弘、新倉貴士、佐々木壮太郎、松下光司『消費者行動論——マーケティングとブランド構築への応用』有斐閣アルマ、二〇一二
新雅史『商店街はなぜ滅びるのか——社会・政治・経済史から探る再生の道』光文社新書、二〇一二
石原武政「コミュニティ型小売業の行方」『経済地理学年報』43、一九九七
石原武政『小売業の外部性とまちづくり』有斐閣、二〇〇六
石村耕治「日米におけるタックス・チェックオフの展開」『白鷗法学』12、二〇〇五
伊藤敏安「地方にとって『国土の均衡ある発展』とは何であったか」『地域経済研究』14、二〇〇三
伊藤幹治『贈与交換の人類学』筑摩書房、一九九五
伊藤幹治『贈答の日本文化』筑摩選書、二〇一一
伊藤恭彦『タックス・ジャスティス——税の政治哲学』風行社、二〇一七
井上淳子「ブランド・コミットメントと購買行動との関係」『流通研究』12(2)、二〇〇九
井上崇通、村松潤一編『サービス・ドミナント・ロジック——マーケティング研究への新たな視座』同文舘出版、二〇一〇
井上達夫『他者への自由——公共性の哲学としてのリベラリズム』創文社、一九九九
岩永洋平『通販ビジネスの教科書』東洋経済新報社、二〇一六
岩永洋平「地方からのサプライチェーン革新——ダイレクトマーケティングによる地域商品の市場導入」『地域活性研究』Vol.9、二〇一八

岩永洋平「ふるさと納税にふるさとへの思いはあるか――利用者の意識調査による検証」『地域活性研究』Vol.10、二〇一九
岩永洋平「顧客との持続的な関係を形成するリテンション施策の検討――ふるさと納税による地域商品の需要創造と「ふるさと意識」喚起」『Direct Marketing Review』Vol.18、二〇一九
上原征彦『マーケティング戦略論――実践パラダイムの再構築』有斐閣、一九九九
岡本義行「地域の内発的発展に向けて」『地域イノベーション』4、二〇一一
小川孔輔「広研・自由連想モデルによるブランド診断――PINS測定法の理論的背景から商用化への課題まで」『日経広告研究所報』225、二〇〇六
片山善博「自治を蝕む『ふるさと納税』」『世界』861、二〇一四
加藤尚武『環境倫理学のすすめ』丸善ライブラリー、一九九一
神島二郎『近代日本の精神構造』岩波書店、一九六一
仮屋園璋「カステラの適正な品質鑑別」『活水論文集 家政科・一般教育編』25、一九八二
木下斉『地方創生大全』東洋経済新報社、二〇一六
清成忠男『地域主義の時代』東洋経済新報社、一九七八
久保田進彦『リレーションシップ・マーケティング――コミットメント・アプローチによる把握』有斐閣、二〇一二
黒田成彦『平戸市はなぜ、ふるさと納税で日本一になれたのか？』KADOKAWA、二〇一五
小林哲『地域ブランディングの論理』有斐閣、二〇一六
神野直彦「論陣・論客 ふるさと納税、どう見る」『読売新聞』二〇〇七年六月一二日
杉野圀明「地域経済をめぐる理論的諸問題」『立命館経済学』36、一九八七
盛山和夫「理論社会学としての公共社会学にむけて」『社会学評論』57、二〇〇六

盛山和夫『社会学の方法的立場――客観性とはなにか』東京大学出版会、二〇一三
竹内淑恵「リレーションシップ・マーケティングの潮流と研究の視点」『リレーションシップのマネジメント』文眞堂、二〇一四
太宰潮「中小企業の価格戦略――「久原本家」の成功を例に」『福岡大学商学論叢』61(4)、二〇一七
立岩真也『自由の平等――簡単で別な姿の世界』岩波書店、二〇〇四
玉置了「消費者の倫理的意識に基づくコミュニティへの参加行動――消費者のアイデンティティと共感の視点からの考察」『商経学叢』62、二〇一六
玉野井芳郎ほか編『地域主義――新しい思潮への理論と実践の試み』学陽書房、一九七八
玉野井芳郎『地域主義の思想』農山漁村文化協会、一九七九
田村正紀『ブランドの誕生――地域ブランド化実現への道筋』千倉書房、二〇一一
茶野順子「税金の使途指定を考えるために――パーセント法基礎講座」笹川平和財団、二〇〇九
豊田秀樹『共分散構造分析 Ａｍｏｓ編』東京図書、二〇〇七
中村尚史『〈持ち場〉の希望学――釜石と震災』東京大学出版会、二〇一四
難波功士「マーケティング」大澤真幸、吉見俊哉、鷲田清一、見田宗介編『現代社会学事典』弘文堂、二〇一二
新倉貴士「消費者行動とリレーションシップ・マーケティング」竹内淑恵編著『リレーションシップのマネジメント』文眞堂、二〇一四
西川潤「内発的発展論の起源と今日的意義」鶴見和子、川田侃編『内発的発展論』東京大学出版会、一九八九
根本志保子「倫理的消費――消費者による自発的かつ能動的な社会関与の意義と課題」『一橋経済学』11、二〇一八

野見山敏雄「低食料自給率下における地産地消」『農業経済研究』77、二〇〇五
長谷川公一「共同性と公共性の現代的位相」『社会学評論』50、二〇〇〇
樋口耕一「テキスト型データの計量的分析Ⅱ――2つのアプローチの峻別と統合」『理論と方法』19(1)、二〇〇四
保田隆明、保井俊之『ふるさと納税の理論と実践』事業構想大学院大学出版部、二〇一七
星野崇宏、岡田謙介、前田忠彦「構造方程式モデリングにおける適合度指標とモデル改善について――展望とシミュレーション研究による新たな知見」『行動計量学』32(2)、二〇〇五
松井温文「リレーションシップ・マーケティングの起源と歴史」岡山武史編著『リレーションシップ・マーケティング』五絃舎、二〇一四
松本健一『共同体の論理』第三文明社、一九七八
三角政勝（参院予算委員会調査室）「自己負担なき「寄附」の在り方が問われる「ふるさと納税」」『立法と調査』371、二〇一五
宮本憲一『現代の都市と農村――地域経済の再生を求めて』日本放送出版協会、一九八二
宮本憲一『環境経済学』岩波書店、一九八九
村山研一「地域ブランド戦略と地域ブランド政策」『地域ブランド研究』3、二〇〇七
村山研一「地域価値の創造を進めてゆくための視点と組織について」『地域ブランド研究6』二〇一一
守友裕一「地域農業の再編成と内発的発展論」『農業経済研究』72、二〇〇〇
森村進「分配的平等主義の批判」『一橋法学』6、二〇〇七
山本嘉一郎、小野寺孝義『Ａｍｏｓによる共分散構造分析と解析事例』ナカニシヤ出版、一九九九
吉村昭『三陸海岸大津波』中公文庫、一九八四

市川市　「市川市議会会議録」http://www.city.ichikawa.lg.jp/cgi-bin/kaigi.cgi、二〇〇四－二〇一五
経済産業省『地域ブランディングとそれに関連する地域づくりのあり方に関する調査』二〇一四
自由民主党『平成20年度税制改正大綱』二〇〇七
水産庁「水産加工業者における東日本大震災からの復興状況アンケート第6回」二〇一九
総務省「平成19年ふるさと納税研究会報告書」二〇〇七
総務省「ふるさと納税に関する現況調査結果（平成30年度課税における住民税控除額の実績等）」二〇一八
福井県「ふるさと納税制度について――「故郷寄付金控除」の提案」二〇〇七

Baudrillard, J.,1970, La Société de consommation: Ses mythes, ses structures, Gallimard.（今村仁司他訳『消費社会の神話と構造』紀伊國屋書店、一九七九）
Bellah, R. N.,1985, Habits of the Heart: Individualism and Commitment in American Life, University of California Press, Berkeley.（島薗進、中村圭志訳『心の習慣――アメリカ個人主義のゆくえ』みすず書房、一九九一）
Bellah, R. N.,1991, The Good Society, Alfred A. Knopf. Inc.（中村圭志訳『善い社会』みすず書房、２０００）
Berger, P. L., Berger, B. & Kellner, H.,1973, The Homeless Mind: Modernization and Consciousness, Random House.（高山他訳『故郷喪失者たち』新曜社、一九七七）
Berque, A.,1986, Le Sauvage et l'artifice: les Japonais devant la nature, Gallimard.（篠田勝英訳『風土の日本――自然と文化の通態』ちくま学芸文庫、一九九二）
Blau, P. M.,1964, Exchange and Power in Social Life, John Wiley & Sons.（間場寿一、居安正、塩原勉訳

『交換と権力――社会過程の弁証法社会学』新曜社、一九七四）

Bowles, S.,2016, The Moral Economy: Why Good Incentives Are No Substitute for Good Citizens, Yale University Press.（植村博恭、磯谷明徳、遠山弘徳訳『モラル・エコノミー――インセンティブか善き市民か』NTT出版、二〇一七）

Durkheim, E.,1897, Le suicide: Etude de sociologie, Félix Alcan.（宮島喬訳『自殺論』中公文庫、１９８５）

Galbraith, J. K.,1958, The Affluent Society, Houghton Mifflin Company.（鈴木哲太郎訳『ゆたかな社会』岩波書店、一九七八）

Giddens, A.,1991, Modernity and Self-Identity: Self and Society in the Late Modern Age, Polity Press.（秋吉美都、安藤太郎、筒井淳也訳『モダニティと自己アイデンティティ』ハーベスト社、二〇〇五）

Girard, R.,1972, La Violence et le Sacré, Grasset.（古田幸男訳『暴力と聖なるもの』法政大学出版局、一九八二）

Keller, K.L.,2008, Strategic Brand Management: Building, Measuring, and Managing Brand Equity (3rd ed.), Prentice Hall.（恩藏直人監訳『戦略的ブランド・マネジメント（第3版）』東急エージェンシー、二〇一〇）

Kotler, P., Keller, K.,2006, Marketing Management 12th Edition, Pearson Education.（恩藏直人監訳『コトラー&ケラーのマーケティング・マネジメント第12版』ピアソン・エデュケーション、二〇〇八）

Kotler, P., Lee, N.,2005, Corporate Social Responsibility: Doing the Most Good for Your Company and Your Cause, John Wiley & Sons.（恩藏直人監訳『社会的責任のマーケティング「事業の成功」と「ＣＳＲ」を両立する』東洋経済新報社、二〇〇七）

Lasch, C.,1985, The minimal self: Psychic survival in troubled times, W. W. Norton & Company.（石川

弘義他訳『ミニマルセルフ――生きにくい時代の精神的サバイバル』時事通信社、一九八六）
Macpherson, C. B.,1966, The Real World of Democracy, Oxford University Press.（栗田賢三訳『現代世界の民主主義』岩波新書、一九六七）
Mauss, M.,1925, "Essai sur le don: forme et raison de l'echange dans les sociétés archaïques" Année sociologique, N.S., tome 1, 30-186.（森山工訳『贈与論 他二篇』岩波文庫、二〇一四）
Mitchell, A., Ogilvy, J. & Schwartz, P.,1986, The VALS typology: A New perspective on America, SRI International.（吉福伸逸監訳『パラダイム・シフト――価値とライフスタイルの変動期を捉えるＶＡＬＳ類型論』ＴＢＳブリタニカ、一九八七）
Murphy, L. & Nagel, T.,2002, The Myth of Ownership, Oxford University Press.（伊藤恭彦訳『税と正義』名古屋大学出版会、二〇〇六）
Nozick, R.,1974, Anarchy, State, and Utopia, Basic Books.（島津格訳『アナーキー・国家・ユートピア』木鐸社、一九九二）
Putnam, R. D.,2000, Bowling alone: The collapse and revival of American community, Simon and Schuster.（柴内康文訳『孤独なボウリング――米国コミュニティの崩壊と再生』柏書房、二〇〇六）
Riesman, D.,1950, The Lonely Crowd: a study of the changing American character, Yale University Press.（加藤秀俊訳『孤独な群衆』みすず書房、一九六四）
Ritzer, G.,1996, The McDonaldization of Society, Revised Edition, Thousand Oaks, CA: Pine Forge Press.（正岡寛司監訳『マクドナルド化する社会』早稲田大学出版部、一九九九）
Rousseau, J. J.,1762, Du Contrat social: Ou, Principes du droit politique, Paris: Garnier Fréres.（桑原武夫、前川貞次郎訳『社会契約論』岩波文庫、一九五四）
Sandel, M. J.,1982, Liberalism and the Limits of Justice, Cambridge University Press..（菊池理夫訳『自

由主義と正義の限界（第2版）』三嶺書房、一九九九）
Schumacher, E. F.,1973, Small is Beautiful——A study of Economics as if People Mattered, Frederick Muller Ltd.（小島慶三、酒井懋訳『スモール イズ ビューティフル——人間中心の経済学』講談社学術文庫、一九八六）
Sen, A.,1977, "Rational fools: A critique of the behavioral foundations of economic theory" Philosophy & Public Affairs, 317-344.（大庭健、川本隆史訳「合理的な愚か者」『合理的な愚か者』勁草書房、一九八九）
Stiglitz, J.E.,1993, Economics.1st ed. W.W. Norton.（藪下史郎他訳『スティグリッツ ミクロ経済学』東洋経済新報社、一九九五）
Vargo, S. L. & Lusch, R. F.,2014, Service-Dominant Logic: Premises, Perspectives, Possibilities, Cambridge University Press.（井上崇通監訳、庄司真人、田口尚志訳『サービス・ドミナント・ロジックの発想と応用』同文舘出版、二〇一六）

ちくま新書
1479

地域活性《ちいきかっせい》マーケティング

二〇二〇年二月一〇日　第一刷発行

著者　岩永洋平（いわなが・ようへい）

発行者　喜入冬子

発行所　株式会社　筑摩書房
東京都台東区蔵前二-五-三　郵便番号一一一-八七五五
電話番号〇三-五六八七-二六〇一（代表）

装幀者　間村俊一

印刷・製本　三松堂印刷　株式会社

ISBN978-4-480-07284-9 C0263

ちくま新書

902 日本農業の真実 生源寺眞一

わが国の農業は正念場を迎えている。いま大切なのは食と農の実態を冷静に問いなおすことだ。農業政策の第一人者が現状を分析し、近未来の日本農業を描き出す。

926 公務員革命 ——彼らの〈やる気〉が地域社会を変える 太田肇

地域社会が元気かどうかは、公務員の〝やる気〟にかかっている！ 彼らをバッシングするのではなく、積極性を引き出し、官民一丸ですすめる地域再生を考える。

928 高校生にもわかる「お金」の話 内藤忍

お金は一生にいくら必要か？ お金の落とし穴って何だ？ ＡＫＢ48、宝くじ、牛丼戦争など、身近な喩えでわかりやすく伝える、学校では教えない「お金の真実」。

930 世代間格差 ——人口減少社会を問いなおす 加藤久和

年金破綻、かさむ医療費、奪われる若者雇用——。年齢によって利害が生じる「世代間格差」は、いかに解消できるか？ 問題点から処方箋まで、徹底的に検証する。

959 円のゆくえを問いなおす ——実証的・歴史的にみた日本経済 片岡剛士

なぜデフレと円高は止まらないのか？ このまま日本経済は停滞したままなのか？ 大恐慌から現代へいたる為替と経済政策の分析から、その真実をときあかす。

962 通貨を考える 中北徹

「円高はなぜ続くのか」「ユーロ危機はなぜくすぶり続けるのか」。こうした議論の補助線として「財政」と「決済」に光をあて、全く新しい観点から国際金融を問いなおす。

965 東電国有化の罠 町田徹

国民に負担を押し付けるために東京電力は延命させられた！ その裏には政府・官僚・銀行の水面下での駆け引きがあった。マスコミが報じない隠蔽された真実に迫る。

ちくま新書

973
本当の経済の話をしよう
若田部昌澄
栗原裕一郎
難解に見える経済学も、整理すれば実は簡単。わかりやすさで定評のある経済学者・若田部昌澄に、気鋭の評論家・栗原裕一郎が挑む、新しいタイプの対話式入門書。

976
理想の上司は、なぜ苦しいのか
――管理職の壁を越えるための教科書
樋口弘和
いい上司をめざすほど辛くなるのはなぜだろう。頑張るほど疲弊してしまう現代の管理職。では、その苦労の理由とは。壁を乗り越え、マネジメント力を上げる秘訣！

977
現代《ヒュンダイ》がトヨタを越えるとき
――韓国に駆逐される日本企業
小林英夫
金英善《キム・エイゼン》
ものづくりの雄、トヨタ。その栄華はピークを過ぎたのか？　日韓企業のあいだで起きている大変化を検証しながら、日本企業が弱体化した理由と再生への道筋を探る。

991
増税時代
――われわれは、どう向き合うべきか
石弘光
無策な政治により拡大した財政赤字を解消し、社会保障制度を破綻させせないためにはどうしたらよいのか？　国民生活の質の面から公平性を軸に税財制を考える一冊。

1006
高校生からの経済データ入門
吉本佳生
データの収集、蓄積、作成、分析。数字で考える「頭」は、情報技術では絶対に買えません。高校生でも、そして大人でも、分析の技法を基礎の基礎から学べます。

1011
チャイニーズ・ドリーム
――大衆資本主義が世界を変える
丸川知雄
日本企業はなぜ中国企業に苦戦するのか。その秘密は、カネも技術もなくても起業に挑戦する普通の庶民のハングリー精神と、彼らが生み出すイノベーションにある！

1015
日本型雇用の真実
石水喜夫
雇用流動化論は欺瞞である。日本型雇用は終わっていない。労働力を商品と見て、競争を煽ってきた旧来の労働経済学を徹底批判。働く人本位の経済体制を構想する。

1023
日本銀行
翁邦雄

アベノミクスで脱デフレに向けて舵を切った日銀は、本当に金融システムを安定させられるのか。金融政策の第一人者が、日銀の歴史と多難な現状を詳しく解説する。

1032
マーケットデザイン
——最先端の実用的な経済学
坂井豊貴

腎臓移植、就活でのマッチング、婚活パーティー!? お金で解決できないこれらの問題を解消する画期的な思考を解説する。経済学が苦手な人でも読む価値あり!

1040
TVディレクターの演出術
——物事の魅力を引き出す方法
高橋弘樹

制約だらけのテレビ東京ではアイディアが命。「TVチャンピオン」「ジョージ・ポットマンの平成史」などのディレクターによる、調べる・伝える・みせるテクニック。

1042
若者を見殺しにする日本経済
原田泰

社会保障ばかり充実させ、若者を犠牲にしている日本経済に未来はない。若年層が積極的に活動し、失敗しても取り返せる活力ある社会につくり直すための経済改革論。

1046
40歳からの会社に頼らない働き方
柳川範之

誰もが将来に不安を抱える激動の時代を生き抜くには、どうするべきか? 「40歳定年制」で話題の経済学者が、新しい「複線型」の働き方を提案する。

1054
農業問題
——TPP後、農政はこう変わる
本間正義

戦後長らく続いた農業の仕組みが、いま大きく変わろうとしている。第一人者がコメ、農地、農協の問題を分析し、TPP後を見据えて日本農業の未来を明快に描く。

1056
なぜ、あの人の頼みは聞いてしまうのか?
——仕事に使える言語学
堀田秀吾

頼みごと、メール、人間関係、キャッチコピーなど、仕事の多くは「ことば」が鍵! 気鋭の言語学者が、ことばの秘密を解き明かし、仕事への活用法を伝授する。

ちくま新書

1058
定年後の起業術
津田倫男
人生経験豊かなシニアこそ、起業すべきである——第二の人生を生き甲斐のあふれる実り豊かなものにしたいあなたに、プロが教える、失敗しない起業のコツと考え方。

1061
青木昌彦の経済学入門
——制度論の地平を拡げる
青木昌彦
社会の均衡はいかに可能なのか？　現代の経済学を主導した碩学の知性を一望し、歴史的な連続／不連続性のなかで、ひとつの社会を支えている「制度」を捉えなおす。

1065
中小企業の底力
——成功する「現場」の秘密
中沢孝夫
国内外で活躍する日本の中小企業。その強さの源は何か？　独自の技術、組織のつくり方、人材育成……。多くの現場取材をもとに、成功の秘密を解明する一冊。

1069
金融史の真実
——資本システムの一〇〇〇年
倉都康行
懸命に回避を試みても、リスク計算が狂い始めるとき、金融危機は繰り返し起こる。「資本システム」の歴史を概観しながら、その脆弱性と問題点の行方を探る。

1092
戦略思考ワークブック【ビジネス篇】
三谷宏治
Suica自販機はなぜ1・5倍も売れるのか？　1着25万円のスーツをどう売るか？　20の演習で、明日から使える戦略思考が身につくビジネスパーソン必読の一冊。

1128
若手社員が育たない。
——「ゆとり世代」以降の人材育成論
豊田義博
まじめで優秀、なのに成長しない。そんな若手社員が増加している。本書は、彼らの世代的特徴、職場環境、大学での経験などを考察し、成長させる方法を提案する。

1130
40代からのお金の教科書
栗本大介
子どもの教育費、住宅ローン、介護費用、老後の準備、相続トラブル。取り返しのつかないハメに陥らないために、「これだけは知っておきたいお金の話」を解説。

1302
働く女子のキャリア格差
国保祥子
脱マミートラック！ 産み、働き、活躍するために必要な職場・個人双方の働き方改革を具体的に提案。育休取得者四〇〇〇人が生まれ変わった思考転換メソッドとは？

1305
ファンベース
――支持され、愛され、長く売れ続けるために
佐藤尚之
「ファンベース」とは、ファンを大切にし、ファンをベースにして、中長期的に売上や価値を上げていく考え方である。今、最も大切なマーケティングはこれだ！

1312
パパ1年目のお金の教科書
岩瀬大輔
これからパパになる人に、これだけは知っておいてほしい「お金の貯め方・使い方」を一冊に凝縮。パパとして奮闘中の方にも、きっと役立つ見識が満載です。

1316
アベノミクスが変えた日本経済
野口旭
「三本の矢」からなるアベノミクスは、日本経済を長期デフレから脱却させることに成功しつつある。その現状を示し、その後必要となる「出口戦略」を提示する。

1332
ヨーロッパで勝つ！ ビジネス成功術
――日本人の知らない新常識
塚谷泰生
EPA合意でヨーロッパビジネスの大チャンスがやってきた。日本製品は交渉術を身につければ必ず売れる。経験豊富な元商社マンが伝授する、ビジネス成功の極意。

1340
思考を鍛えるメモ力
齋藤孝
メモの習慣さえつければ、仕事の効率が上がるだけでなく思考が鍛えられる。基本のメモ力から、攻めのメモ力の技術、さらに大谷翔平等から学ぶ「鬼のメモ力」とは。

1351
転職のまえに
――ノンエリートのキャリアの活かし方
中沢孝夫
仕事人生の転機において何を考えるべきか？ 雇用の基本、キャリア、自己投資。中小企業論の第一人者が様々な実例とともに語る、中高年からの働き方「再」入門。

ちくま新書

1438 日本を救う未来の農業 ——イスラエルに学ぶＩＣＴ農法 竹下正哲

ドリップ灌漑を行い、センサーを駆使してＩｏＴクラウド農法で管理すれば、高齢化、跡継ぎ問題、そして、収益率や自給率など日本の農業問題は全てが解決する！

1443 ドル化とは何か ——日本で米ドルが使われる日 土田陽介

財政破綻に陥った新興国で進む「ドル化」。自国通貨と共に外国通貨を利用するこの現象を通じて、通貨危機の足音が着実に忍び寄る日本経済の現状を分析する。

1458 図解でわかる会社の数字 ——株価を動かす財務データの見方 花岡幸子

財務3表の見方から経済指標の意味まで、株式投資や就職の前に知っておきたい会社の数字の読み解き方をすべてネコで図解。この一冊で、会社の実力を見抜く！

960 暴走する地方自治 田村秀

行革を旗印に怪気炎を上げる市長や知事、地域政党。だが自称改革派は矛盾だらけだ。幻想を振りまき混乱に拍車をかける彼らの政策を分析、地方自治を問いなおす！

1059 自治体再建 ——原発避難と「移動する村」 今井照

帰還も移住もできない原発避難民を救うには、江戸時代の「移動する村」の知恵を活かすしかない。バーチャルな自治体の制度化を提唱する、新時代の地方自治再生論。

1071 日本の雇用と中高年 濱口桂一郎

激変する雇用環境。労働問題の責任ある唯一の答えは「長く生き、長く働く」しかない。けれど、年齢が足枷になって再就職できない中高年。あるべき制度設計とは。

1150 地方創生の正体 ——なぜ地域政策は失敗するのか 山下祐介 金井利之

「地方創生」で国はいったい何をたくらみ、地方をどう支配しようとしているのか。気鋭の社会学者と行政学者が国策の罠を暴き出し、統治構造の病巣にメスを入れる。